Luigi Pirandello

NOVELLE

PER UN ANNO

A cura di: Fulvia Oddo
Illustrazioni: Karen Borch

EDIZIONE SEMPLIFICATA AD USO
SCOLASTICO E AUTODIDATTICO

Le strutture ed i vocaboli usati in questa edizione sono tra i più comuni della lingua italiana e sono stati scelti in base ad una comparazione tra le seguenti opere: Bartolini, Tagliavini, Zampolli – Lessico di frequenza della lingua italiana comtemporanea. Consiglio D'Europa – Livello soglia, Brambilla e Crotti – Buongiorno! (Klett), Das VHS Zertifikat, Cremona e altri – Buongiorno Italia! (BBC), Katerinov e Boriosi Katerinov – Lingua e vita d'Italia (Ed. Scol. Bruno Mondadori).

Redatore: Ulla Malmmose

Design della copertina: Mette Plesner

Stampato in Danimarca da
Sangill Grafisk Produktion, Holme Olstrup

Luigi Pirandello : biografia

Luigi Pirandello è nato ad Agrigento in Sicilia nel 1867. Studia alla facoltà di lettere di Palermo, poi a Roma e infine a Bonn. Nel 1893 scrive il suo primo romanzo " L'esclusa " e nel 1894 pubblica il primo volume di racconti "Amori senza amore". Nello stesso anno, sposa la bella e ricca Antonietta Portulano, ma nel 1897 un grave dissesto economico costringe la famiglia Pirandello a trasferirsi a Roma, dove Luigi insegna letteratura italiana all'Istituto Superiore di Magistero. Lo scoppio della prima grande guerra mondiale, la prigionia del figlio Stefano ferito ed ammalato e la fragile salute della moglie, sono, per lo scrittore, le cause del dolore su cui si basa la sua triste concezione del vivere nel mondo. Finita la guerra, Pirandello si immerge in un lavoro frenetico, spinto dall'urgenza di insegnare agli uomini le "verità" da lui scoperte. Nascono i capolavori "Sei personaggi in cerca d'autore" ed "Enrico IV", entrambi del 1921. Nel 1925 fonda la "Compagnia del teatro d'arte" e nel 1934 vince premio Nobel. Nel novembre del 1936 si ammala gravemente di polmonite e poco dopo muore.

La toccatina

I

Cristoforo Golisch si fermò in mezzo alla via con le gambe aperte un po' curve per il peso del corpo gigantesco; alzò le braccia; gridò:
- Beniamino!

Alto quasi quanto lui, ma secco e tentennante 5 come una canna, gli veniva incontro pian piano, con gli occhi stranamente stupiti nella squallida faccia, un uomo sui cinquant'anni con un bastone. Strascinava con fatica la gamba sinistra.

- Beniamino! - ripeté il Golisch; e questa volta la 10 voce espresse, oltre la sorpresa, il dolore di ritrovare, dopo tanti anni, l'amico in quello stato.

palpebra

Beniamino Lenzi batté più volte le *palpebre*: gli occhi erano ancora stupiti e coperti da un velo di pianto. Sotto i baffi già grigi le labbra, un po' storte, 15 si spiccicarono e lavorarono un pezzo con la lingua annodata a pronunziare qualche parola:
- O.... oa... oa sto meo... cammìo...
- Ah bravo... - fece il Golisch, *agghiacciato* dall'impressione di non aver più davanti un uomo, 20 Beniamino Lenzi, per come lui lo aveva conosciuto;

---

agghiacciato, terrorizzato

ma quasi un ragazzo ormai, un povero ragazzo che bisognava pietosamente ingannare.

E gli si mise accanto e si sforzò di camminare col suo passo.

5 Cercando di dissimulare il dispiacere, lo strano sconforto che a mano a mano sentiva vedendo accanto quell'uomo toccato dalla morte, quasi morto per metà e cambiato, cominciò a domandargli dove fosse stato tutto quel tempo, da quando era 10 partito da Roma; che cosa avesse fatto; quando fosse ritornato.

Beniamino Lenzi gli rispose con parole spezzate quasi incomprensibili, che lasciarono il Golisch nel dubbio che le sue domande non fossero state 15 capite.

La morte, passando e toccando, aveva ridotto così la maschera di quell'uomo. Lui doveva aspettare con quel *volto*, con quegli occhi, che questa ripassasse e lo ritoccasse un tantino più forte per render- 20 lo immobile del tutto e per sempre.

- Che spasso! - fischiò tra i denti Cristoforo Golisch.

E lanciò di qua e di là occhiatacce alla gente che si voltava e si fermava a guardare col volto pieno di compassione quel povero uomo.

25 Una sorda rabbia prese a bollirgli dentro.

Come camminava veloce la gente per via! Veloce di collo, veloce di braccia, veloce di gambe... E lui stesso! Era padrone, lui, di tutti i suoi movimenti; e si sentiva così forte... Strinse un pugno. Perdio!

volto, faccia

6

Lo irritava la gente, lo irritavano soprattutto i giovani che si voltavano a guardare il Lenzi. Prese dalla tasca un grosso fazzoletto di cotone turchino e si asciugò il sudore che gli scolava dal faccione rosso.

5 - Beniamino, dove vai adesso?

Il Lenzi si era fermato, aveva appoggiata la mano illesa a un *lampione* e pareva che lo accarezzasse, guardandolo amorosamente. Balbettò:

10 - Da dottoe... Esecìio de piee.

E provò ad alzare il piede colpito.

- Esercizio? - disse il Golisch. - Ti eserciti il piede?

- Piee, ripeté il Lenzi.

15 - Bravo! - esclamò di nuovo il Golisch.

Gli venne la tentazione d'afferrargli quel piede, stringerglielo, prendere per le braccia l'amico e dargli un tremendo *scrollone*, per toglierlo da quell'orribile

20 immobilità.

Non sapeva, non poteva vederselo davanti, ridotto in quello stato. Eccolo qua, il compagno di antiche avventure, nei begli anni della gioventù e poi nelle

25 ore d'ozio, ogni sera, scapoli com'eran

lampione

rimasti entrambi. Un bel giorno, una nuova via s'era aperta davanti all'amico, il quale s'era incamminato per questa, veloce anche lui, allora, - oh tanto! - veloce e coraggioso. Sissignore!

30 Lotte, fatiche, speranze; e poi, tutt'a un tratto: ecco-

| *scrollone*, scossa

8

lo qua, com'era ritornato... Ah, che buffonata! che buffonata!

Avrebbe voluto parlargli di tante cose, e non sapeva.

«Ti ricordi», avrebbe voluto dirgli, «delle nostre famose scommesse alla Fiaschetteria Toscana? E di Nadina, ti ricordi? L'ho ancora, con me, sai! Tu me l'hai *appioppata*, birbaccione, quando partisti da Roma. Cara figliuola, quanto bene ti voleva... Ti pensa ancora, sai? Mi parla ancora di te, qualche volta. Andrò a trovarla questa sera stessa e le dirò che t'ho rivisto, poveretto... È proprio inutile che io ti domando: tu non ricordi più nulla; tu forse non mi riconosci più, o mi riconosci appena.»

Mentre il Golisch pensava così, con gli occhi gonfi di lacrime, Beniamino Lenzi continuava a guardare amorosamente il lampione e pian piano con le dita gli levava la polvere.

Quel lampione segnava per lui una delle tre tappe della passeggiata giornaliera. Strascinandosi per la via, non vedeva nessuno, non pensava a niente; mentre la vita gli girava intorno, agitata da tante passioni, premuta da tante cure, lui andava con tutte le forze che gli erano rimaste verso quel lampione, prima; poi, più giù, alla vetrina d'un bazar, che segnava la seconda tappa.

La terza sosta era al cancello del giardinetto in fondo alla via, da dove poi andava verso la casa del medico.

Nel cortile di quella casa c'erano diversi attrezzi di ginnastica, tra i quali alcune pertiche elastiche da

| *appioppare*, consegnare, rifilare

9

cui pendeva una corda che scendeva ad annodarsi a una leva di legno.

Beniamino Lenzi metteva il piede colpito su questa leva e spingeva.

Ogni giorno, mezz'ora di questo esercizio. E in pochi mesi, sarebbe guarito. Oh, non c'era alcun dubbio! Guarito del tutto...

Dopo aver assistito per un pezzetto a questo grazioso spettacolo, Cristoforo Golisch uscì dal cortile a gran passi, sbuffando come un cavallo, agitando le braccia, pieno di rabbia.

Pareva che la morte avesse fatto a lui e non al povero Lenzi lo scherzo di quella toccatina lì, al cervello.

N'era sconvolto.

Con gli occhi *torvi*, i denti serrati, parlava tra sé e gesticolava per via, come un matto.

- Ah, sì? - diceva - Ti tocco e ti lascio? No, ah, no perdio! Io non mi riduco in quello stato! Ti faccio tornare per forza, io! Mi passeggi accanto e ti diverti a vedere come mi hai *conciato*? A vedermi strascicare un piede? A sentirmi balbettare? Mi rubi mezzo alfabeto, mi fai dire oa e cao, e ridi? No, caa! Vieni qua! Mi tio una pistoettata, com'è veo Dio! Questo spasso io non te lo do! Mi sparo, m'ammazzo com'è vero Dio! Questo spasso non te lo do.

Tutta la sera e poi il giorno dopo e per parecchi giorni di fila non pensò ad altro, non parlò d'altro, a casa, per via, al caffè, alla fiaschetteria, quasi se ne fosse fatta una fissazione. Domandava a tutti:

torvo, minaccioso
conciato, ridotto

10

- Avete visto Beniamino Lenzi?

E se qualcuno gli rispondeva di no:

- Colpito! Morto per metà! Rimbambito... Come non s'ammazza? Se io fossi medico, lo ammazzerei! Per carità di prossimo... Beniamino Lenzi, capite? Beniamino Lenzi che s'è battuto tre volte in duello, dopo aver fatto con me la campagna del '66, ragazzotto... La vita ha prezzo per quello che ti dà... Dico bene? Non ci penserei neanche due volte...

Gli amici, alla fiaschetteria, alla fine non ne poterono più.

- M'ammazzo... m'ammazzo... E ammazzati una buona volta e falla finita!

Cristoforo Golisch si scosse, distese le mani:

No; io dico, se mai...

II

Circa un mese dopo, mentre pranzava con la sorella vedova e il nipote, Cristoforo Golisch improvvisamente stravolse gli occhi, storse la bocca, come per sbadigliare; la testa gli cadde sul petto e la faccia sul piatto.

Una toccatina, lieve lieve, anche lui.

Perdette lì per lì la parola e mezzo lato del corpo: il destro.

Cristoforo Golisch era nato in Italia, da genitori tedeschi; non era mai stato in Germania, e parlava romanesco, come un romano di Roma. Da un po' gli amici gli avevano italianizzato anche il cognome, chiamandolo Golicci, e quelli più intimi anche Golaccia, per via della sua pancia e del formidabile appetito. Solo con la sorella egli parlava di tanto in tanto in tedesco, per non far capire niente agli altri.

Ebbene, riacquistato con fatica l'uso della parola, Cristoforo Golisch offrì al medico un curioso feno-
5 meno da studiare; non sapeva più parlare in italiano: parlava tedesco.

- Ih... ihr... wie ein Faustschlag...

Il medico non comprese, e la sorella, mezzo istupidita dall'improvvisa sfortuna, gli fece da interpre-
10 te.

Era divenuto tedesco a un tratto, Cristoforo Golisch: cioè, un altro; perché tedesco veramente, lui, non era mai stato. Soffiata via, come niente, dal suo cervello ogni memoria della lingua italiana, anzi
15 tutta quanta l'italianità sua.

Il medico provò a dare una spiegazione scientifica del fenomeno: dichiarò il male: emiplegia; prescrisse la cura. Ma la sorella, spaventata, lo chiamò in disparte e gli disse i *propositi* violenti del fratello
20 pochi giorni prima, dopo aver visto un amico colpito da quello stesso male.

- Ah, signor dottore, da un mese non parlava più d'altro. S'ammazzerà... Tiene la pistola lì, nel cassetto del comodino... Ho tanta paura...
25 Il medico sorrise pietosamente.

- Non ne abbia, non ne abbia, signora mia! Gli diremo che è stato un semplice disturbo digestivo, e vedrà che...

- Ma che, dottore!
30 - Le assicuro che lo crederà. Del resto, il colpo,

---

proposito, pensiero, piano

per fortuna, non è stato molto grave. Ho fiducia che tra pochi giorni ricomincerà ad usare le parti del corpo colpite, se non bene del tutto, almeno potrà usarle pian piano... e, col tempo, chi sa! Bisognerà cambiar vita e stare molto attenti per allontanare 5 quanto più sarà possibile un nuovo attacco del male.

lacrima

rivoltella

La sorella abbassò le palpebre per chiudere gli occhi e nascondere le *lacrime*. Non fidandosi però dell'assicurazione del medico, appena questi andò 10 via, organizzò di nascosto col figlio e con la serva il modo di portar via, dal cassetto del comodino la *rivoltella*: lei e la serva si sarebbero avvicinate al lato del letto con la scusa di rialzare un tantino il materasso, e nel frattempo - ma, attento per carità! - il 15 ragazzo avrebbe aperto il cassetto senza far rumore e... - attento! - via, l'arma.

Così fecero. E di questa sua precauzione la sorella si lodò molto, non parendole naturale, di lì a poco, la facilità con cui il fratello accolse la spiega- 20 zione del male, suggerita dal medico: disturbo digestivo.

- Ja... ja... es ist doch...

Da quattro giorni se lo sentiva ingombro lo stomaco. 25

- Unver... Unverdaulichkeit... ja... ja...

Ma possibile, - pensava la sorella, - che lui non

avverta la paralisi di mezzo lato del corpo? possibile che lui creda che una semplice indigestione possa aver fatto un tale effetto?

Fin dalla prima veglia cominciò a suggerirgli amorosamente, come a un bambino, le parole della lingua dimenticata; gli domandò perché non parlasse più italiano.

Egli la guardò sorpreso. Non s'era accorto affatto di parlare in tedesco: tutt'a un tratto gli era venuto di parlar così. Provò tuttavia a ripetere le parole italiane, facendo eco alla sorella. Ma le pronunziava ora con voce diversa e con accento straniero, proprio come un tedesco che si sforza di parlare italiano. Chiamava Giovannino, il nipote, Ciofaio. E il nipote - scimunito! - ne rideva, come se lo zio lo chiamasse così per scherzo.

Tre giorni dopo, quando alla Fiaschetteria Toscana si seppe del malore improvviso del Golisch, gli amici venuti a visitarlo poterono avere una dimostrazione pietosa di quella sua nuova lingua. Ma lui non aveva per niente coscienza della curiosissima impressione che faceva, parlando a quel modo.

Era ridivenuto bambino, a quarant'otto anni, e straniero.

E contentissimo era. Sì, perché proprio in quel giorno aveva cominciato a poter muovere appena il braccio e la mano. La gamba no, ancora. Ma sentiva che forse il giorno dopo, con uno sforzo, sarebbe riuscito a muovere anche quella. Ci provava anche adesso, ci provava... e, no eh? non scorgevano alcun movimento gli amici?

- Tomai... tomai...

- Ma sì, domani, sicuro!

A uno a uno gli amici, prima d'andar via pensarono di raccomandare alla sorella di sorvegliarlo.

- Da un momento all'altro, non si sa mai... Può darsi che la coscienza gli ritorni, e...

Ciascuno pensava, ora, come già aveva pensato il Golisch, da sano: che l'unica, cioè, era di uccidersi con una pistolettata per non restar così malvivo e sotto la minaccia terribile, d'un nuovo colpo da un momento all'altro.

Ma loro sì, adesso, lo pensavano: non più il Golisch però. L'allegria del Golisch, invece, quando - una ventina di giorni dopo - sorretto dalla sorella e dal nipote, poté muovere i primi passi per la camera!

Gli occhi, è vero, no, senza uno specchio non se li poteva vedere: sorpresi come quelli di Beniamino Lenzi; ma della gamba sì, *perbacco*, avrebbe potuto accorgersi bene che la strascicava a fatica... Eppure, che allegria!

Si sentiva rinato. Aveva di nuovo tutte le meraviglie d'un bambino, e anche le lacrime facili, come le hanno i bambini, per ogni nonnulla. Da tutti gli oggetti della camera sentiva venirsi un conforto dolcissimo, familiare, mai provato prima; e il pensiero che lui ora poteva andare con i suoi piedi fino a quegli oggetti, ad accarezzarli con le mani, lo inteneriva di gioia fino a piangerne. Guardava dall'uscio gli oggetti delle altre stanze e si *struggeva* dal desiderio di andare ad accarezzare anche quelli. Poi volle fare a meno del braccio del nipote, e girò appoggiato

perbacco, imprecazione come "accidenti"!
struggersi, non trovare pace

alla sorella soltanto e col bastone nell'altra mano; poi, sorretto da nessuno, col bastone soltanto; e finalmente volle dare una gran prova di forza:

- Oh... oh... guaddae, guaddae... sea battoe...

5   - E davvero, tenendo il bastone levato, fece due o tre passi. Ma dovettero portare una sedia per farlo subito sedere.

La prima volta che poté uscir di casa, accompagnato dalla sorella, in gran segreto espresse a lei il

10 desiderio d'esser portato a casa del medico che curava Beniamino Lenzi. Nel cortile di quella casa voleva esercitarsi il piede al tornio anche lui.

La sorella lo guardò, *sbigottita*. Allora lui lo sapeva?

15   - Dimmi, vuoi andarci oggi stesso?

- Sì... sì...

Nel cortile trovarono Beniamino Lenzi, già al tornio, puntuale.

- Beiamìo! - chiamò il Golisch.

20 Beniamino Lenzi non mostrò affatto stupore nel riveder lì l'amico, conciato come lui: spiccicò le labbra sotto i baffi, contraendo la guancia destra; balbettò:

- Tu pue?

25 Il giorno dopo Cristoforo Golisch, non volendo esser da meno del Lenzi che andava al tornio da solo, rifiutò definitivamente la scorta della sorella. Questa, prima, ordinò al figlio di seguire lo zio a una certa distanza, senza farsi scorgere; poi, rassi-

30 curata, lo lasciò davvero andar solo.

E ogni giorno, adesso, alla stess'ora, i due colpiti

sbigottita, stupita

si ritrovano per via e proseguono insieme facendo le stesse tappe: al lampione, prima; poi, più giù, alla vetrina del bazar, a contemplare la scimmietta di porcellana sospesa all'altalena; in fine, al cancello del giardinetto.

Oggi, intanto, a Cristoforo Golisch è venuta in mente un'idea curiosa; ed ecco, la confida al Lenzi. Tutti e due, appoggiati al fedele lampione, si guardano negli occhi e provano a sorridere, contraendo l'uno la guancia destra, l'altro la sinistra. *Confabulano* un pezzo, con quelle loro lingue lente; poi il Golisch fa segno col bastone a un vetturino di avvicinarsi. Aiutati da questo, prima l'uno e poi l'altro, salgono in macchina, e via, alla casa di Nadina in Piazza di Spagna.

Nel vedersi davanti quei due fantasmi affannati, che non si reggono in piedi dopo l'enorme sforzo della salita, la povera Nadina resta sbigottita, a bocca aperta. Non sa se deve piangere o ridere. S'affretta a sostenerli, li trascina nel salotto, li fa sedere accanto e li sgrida duramente della pazzia commessa, come due ragazzini disobbedienti, sfuggiti alla sorveglianza del maestro.

Beniamino Lenzi fa il broncio, e giù a piangere.

Il Golisch, invece, con molta serietà, accigliato, le vuole spiegare che intendevano farle una bella sorpresa.

- Una bea soppea...

(Bellino! Come parla adesso, il tedescaccio!)

- Ma sì, ma sì, grazie... - dice subito Nadina. - Bravi! Siete stati bravi davvero tutt'e due... e m'ave-

---

confabulare, parlare in segreto, bisbigliare

te fatto un gran piacere... Io dicevo per voi... venire fin qua, salire tutta questa scala... Su, su Beniamino! Non piangere, caro... Che cos'è? Coraggio, coraggio!

E prende a carezzarlo su le guance, con le belle mani lattee e paffutelle, inanellate.

- Che cos'è: che cos'è? Guardami!... Tu non volevi venire, è vero? Ti ha portato lui, questo indisciplinato! Ma non farò nemmeno una carezza a lui... Tu sei il mio buon Beniamino, il mio gran giovanottone sei... Caro! caro!... Suvvia, asciughiamo queste lacrimucce... Così... così... Guarda qua questa bella turchese: chi me l'ha regalata? Chi l'ha regalata a Nadina sua? Ma questo mio bel vecchiaccio me l'ha regalata... Toh, caro!

E gli posa un bacio su la fronte. Poi si alza di scatto e rapidamente con le dita si porta via le lacrime dagli occhi.

- Che posso offrirvi?

Cristoforo Golisch, rimasto mortificato e imbronciato, non vuole accettar nulla; Beniamino Lenzi accetta un biscottino e lo mangia accostando la bocca alla mano di Nadina che lo tiene tra le dita e finge di non volerglielo dare, scattando con brevi risatine:

No... no... no...

Il treno ha fischiato...

Farneticava. Principio di febbre cerebrale, avevano detto i medici; e lo ripetevano tutti i compagni d'ufficio, che ritornavano a due, a tre, dall'ospizio, dov'erano stati a visitarlo.

Pareva provassero un gusto particolare a darne la notizia coi termini scientifici, appresi or ora dai medici, a qualche collega ritardatario che incontravano per via:

- Frenesia, frenesia.
- Encefalite.
- Infiammazione della membrana.
- Febbre cerebrale.

E volevano sembrare dispiaciuti; ma erano in fondo così contenti, anche per quel dovere compiuto; nella pienezza della salute, usciti da quel triste ospizio al cielo azzurro della mattinata invernale.

- Morrà? Impazzirà?
- Mah!
- Morire, pare di no...
- Ma che dice? che dice?
- Sempre la stessa cosa. Farnetica...
- Povero Belluca!

E a nessuno veniva in mente che, date le specialissime condizioni in cui quell'infelice viveva da tant'anni, il suo caso poteva anche essere naturalissimo; e che tutto quello che Belluca diceva e che pareva a tutti delirio, sintomo della frenesia, poteva anche essere la spiegazione più semplice di quel

farneticare, dire cose senza senso

suo naturalissimo caso.

Perché uomo più mansueto e sottomesso, più metodico e paziente di Belluca non si sarebbe potuto immaginare.

5 Circoscritto... sì, chi l'aveva definito così? Uno dei suoi compagni d'ufficio. Circoscritto, povero Belluca, entro i limiti strettissimi della sua arida professione di ragioniere. Casellario ambulante: o piuttosto, vecchio *somaro*, che tirava zitto zitto, sempre 10 d'un passo, sempre per la stessa strada la *carretta*, con tanto di *paraocchi*.

somaro

carretta

paraocchi

Inconcepibile, dunque, veramente, quella ribellione in lui, se non come effetto d'una improvvisa alienazione mentale.

15 Tanto più che, la sera prima, proprio gli toccava il rimprovero; proprio aveva il diritto di farglielo, il capo-ufficio. Già s'era presentato, la mattina, con un'aria insolita, nuova; e - cosa veramente enorme, paragonabile, che so? al crollo d'una montagna - 20 era venuto con più di mezz'ora di ritardo.

Pareva che il viso, tutt'a un tratto, gli si fosse allargato. Pareva che i paraocchi gli fossero tutt'a un tratto caduti, e gli si fosse scoperto d'improvviso all'intorno lo spettacolo della vita. Pareva che gli orecchi tutt'a un tratto gli si fossero sturati e sentissero per la prima volta voci, suoni mai sentiti.

Così allegro s'era presentato all'ufficio. E, tutto il giorno, non aveva combinato niente.

La sera, il capo-ufficio, entrando nella sua stanza, esaminati i registri, le carte:

- E come mai? Che hai combinato tutt'oggi?

Belluca lo aveva guardato sorridente, quasi con un'aria arrogante, aprendo le mani.

- Che significa? - aveva allora esclamato il capo-ufficio, avvicinandoglisi e prendendolo per una spalla e scrollandolo. - Ohé, Belluca!

- Niente, - aveva risposto Belluca, sempre con quel sorriso tra arroganza e stupidità su le labbra. - Il treno, signor Cavaliere.

- Il treno? Che treno?

- Ha fischiato.

- Ma che diavolo dici?

- Sissignore. E se sapesse dove sono arrivato! In Siberia... oppure oppure... nelle foreste del Congo... Si fa in un attimo, signor Cavaliere!

Gli altri impiegati, alle grida del capo-ufficio imbestialito, erano entrati nella stanza e, sentendo parlare così Belluca, giù a ridere come i pazzi.

Allora il capo-ufficio infastidito da quelle risate, si era infuriato e aveva malmenato la mansueta vittima di tanti suoi scherzi crudeli.

Se non che, questa volta, la vittima, con stupore e quasi con terrore di tutti, s'era ribellata, gridando sempre quella stramberia del treno che aveva fischiato, e che, non voleva più esser trattato a quel modo.

Lo avevano preso a forza e trascinato all'ospizio dei matti.

Continuava ancora, qua, a parlare di quel treno. Ne imitava il fischio.

Si parte, si parte... Signori, per dove? per dove?

E guardava tutti con occhi che non erano più i suoi. Quegli occhi, di solito cupi, senza luce, *aggrottati*, ora gli ridevano lucidissimi, come quelli d'un bambino o d'un uomo felice; e frasi senza senso gli uscivano dalle labbra. Ora parlava di azzurre fronti di montagne nevose, levate al cielo; parlava di viscidi cetacei che, voluminosi, sul fondo dei mari, con la coda facevan la virgola. Cose inaudite.

Chi venne a riferirmele insieme con la notizia dell'improvvisa alienazione mentale rimase però sconcertato, non notando in me, non meraviglia, ma neppur una lieve sorpresa.

Difatti io accolsi in silenzio la notizia.

E il mio silenzio era pieno di dolore. Tentennai il capo, amaramente, e dissi:

- Belluca, signori, non è impazzito. State sicuri che non è impazzito. Qualche cosa dev'essergli accaduta; ma naturalissima. Nessuno se la può spiegare, perché nessuno sa bene come quest'uomo ha vissuto finora. Io che lo so, sono sicuro che mi spiegherò tutto naturalissimamente, appena l'avrò visto e avrò parlato con lui.

Non avevo mai visto un uomo vivere come Belluca.

Ero suo vicino di casa, e non io soltanto, ma tutti gli altri inquilini della casa si domandavano con me

---

aggrottati, accigliati

come mai quell'uomo potesse resistere in quelle condizioni di vita.

Aveva con sé tre cieche, la moglie, la suocera e la sorella della suocera: queste due, vecchissime, per cataratta; l'altra, la moglie, senza cataratta, cieca fissa; palpebre murate. *5*

Tutt'e tre volevano esser servite. Strillavano dalla mattina alla sera perché nessuno le serviva. Le due figliuole vedove, raccolte in casa dopo la morte dei mariti, l'una con quattro, l'altra con tre figliuoli, non *10* avevano mai né tempo né voglia di badare a loro; se mai, davano qualche aiuto alla madre soltanto.

Con lo scarso guadagno del suo impieguccio di ragioniere poteva Belluca dar da mangiare a tutte quelle bocche? Si procurava altro lavoro per la sera, *15* in casa: carte da ricopiare. E ricopiava tra gli *strilli* indiavolati di quelle cinque donne e di quei sette ragazzi finché essi, tutt'e dodici, non trovavan posto nei tre soli letti della casa.

Letti ampii, matrimoniali; ma tre. *20*

Litigi furibondi, inseguimenti, mobili rovesciati, stoviglie rotte, pianti, urli, tonfi, perché qualcuno dei ragazzi, al buio, scappava e andava a cacciarsi fra le tre vecchie cieche, che dormivano in un letto a parte, e che ogni sera litigavano anch'esse tra loro, *25* perché nessuna delle tre voleva stare in mezzo e si ribellava quando veniva la sua volta.

Alla fine, si faceva silenzio, e Belluca seguitava a ricopiare fino a tarda notte, finché la penna non gli cadeva di mano e gli occhi non gli si chiudevano da sé. *30*

⎪ *strilli*, grida, urla

23

Andava allora a buttarsi, spesso vestito, su un divanaccio rotto, e subito sprofondava in un sonno di piombo, da cui ogni mattina si levava a stento, più intontito che mai.

Ebbene, signori: a Belluca, in queste condizioni, era accaduto un fatto naturalissimo.

Quando andai a trovarlo all'ospizio, me lo raccontò lui stesso, per filo e per segno. Era, sì, ancora esaltato un po', ma naturalissimamente, per ciò che gli era accaduto. Rideva dei medici e degli infermieri e di tutti i suoi colleghi, che lo credevano impazzito.

- Magari! - diceva. - Magari!

Signori, Belluca, s'era dimenticato da tanti e tanti anni - ma proprio dimenticato - che il mondo esisteva.

Due sere avanti, buttandosi a dormire stremato su quel divanaccio, forse per l'eccessiva stanchezza, insolitamente, non era riuscito ad addormentarsi subito. E, d'improvviso, nel silenzio profondo della notte, aveva sentito, da lontano, fischiare un treno.

Gli era parso che gli orecchi, dopo tant'anni, chi sa come, d'improvviso gli si fossero sturati.

Il fischio di quel treno gli aveva squarciato e portato via d'un tratto la miseria di tutte quelle sue orribili angosce, e quasi da un sepolcro scoperchiato s'era ritrovato a spaziare desideroso nel vuoto arioso del mondo che gli si spalancava enorme tutt'intorno.

S'era tenuto istintivamente alle coperte che ogni sera si buttava addosso, ed era corso col pensiero dietro a quel treno che s'allontanava nella notte.

C'era, ah! C'era, fuori di quella casa orrenda, fuo-

ri di tutti i suoi tormenti, c'era il mondo, tanto, tanto mondo lontano, a cui quel treno s'avviava... Firenze, Bologna, Torino, Venezia... tante città, in cui egli da giovane era stato e che ancora, certo, in quella not-
5   te sfavillavano di luci sulla terra. Sì, sapeva la vita che vi si viveva! La vita che un tempo vi aveva vissuto anche lui! E continuava, quella vita; aveva sempre continuato, mentre lui qua, come una bestia bendata, girava la sbarra del mulino. Non ci aveva
10 pensato più! Il mondo s'era chiuso per lui, nel tormento della sua casa,... Ma ora, ecco, gli rientrava, violento, nello spirito. L'attimo, che scoccava per lui, qua, in questa sua prigione, scorreva come un brivido elettrico per tutto il mondo, e lui con l'immagi-
15 nazione   risvegliata all'improvviso poteva, ecco, poteva seguirlo per città note e ignote, lande, montagne, foreste, mari... Questo stesso brivido, questo stesso palpito del tempo. C'erano, mentr'egli qua viveva questa vita «impossibile», tanti e tanti milioni
20 d'uomini sparsi su tutta la terra, che vivevano diversamente. Ora, nel medesimo attimo che lui qua soffriva, c'erano le montagne solitarie nevose che innalzavano al cielo notturno le loro cime azzurre... Sì, sì, le vedeva, le vedeva, le vedeva così... c'erano gli
25 oceani... le foreste...

E, dunque, lui - ora che il mondo gli era rientrato nello spirito - poteva in qualche modo consolarsi! Sì, levandosi ogni tanto dal suo tormento, per prendere con l'immaginazione una boccata d'aria nel
30 mondo.

Gli bastava!

Naturalmente, il primo giorno, aveva esagerato. S'era ubriacato. Tutto il mondo, dentro d'un tratto:

un cataclisma. A poco a poco, si sarebbe ricomposto. Era ancora ebro della troppa troppa aria, lo sentiva.

Sarebbe andato, appena ricompostosi del tutto, a chiedere scusa al capo-ufficio, e avrebbe ripreso come prima la sua contabilità. Soltanto il capo-ufficio ormai non doveva pretender troppo da lui come per il passato: doveva concedergli che di tanto in tanto, tra una partita e l'altra da registrare, lui facesse una capatina, sì, in Siberia... oppure oppure... nelle foreste del Congo:

Si fa in un attimo, signor Cavaliere mio. Ora che il treno ha fischiato...

La giara

Piena anche per gli olivi quell'annata. Lo Zirafa, che ne aveva un bel giro nel suo *podere* delle Quote a Primosole, prevedendo che le cinque *giare* vecchie di coccio smaltato che aveva in cantina non bastavano a contenere tutto l'olio della nuova raccolta, ne aveva ordinata a tempo una sesta più capace a Santo Stefano di Camastra, dove si fabbricavano: alta a petto d'uomo, bella panciuta e maestosa, come se fosse la *badessa* delle altre cinque.

Neanche a dirlo, aveva litigato anche col fornaciaio di là per questa giara. E con chi non *l'attaccava* Don Lollò Zirafa? Per niente, anche per una pie-

---

podere, campo
giara, grande vaso di terracotta
badessa, una delle suore più importanti del convento
attaccarla, litigare con qualcuno

27

truzza caduta dal murello di cinta, anche per un fuscello di paglia, gridava che gli mettessero la sella alla mula per correre in città a *fare gli atti*. Così, a furia di carta bollata e d'onorari agli avvocati, citan-
5 do questo, citando quello e pagando sempre le spese per tutti, s'era mezzo rovinato.

Dicevano che il suo consulente legale, stanco di vederlo due o tre volte la settimana, per levarselo di torno, gli aveva regalato un libricino come quelli da
10 messa: il codice della legge, perché cercasse lui stesso la legge alle liti che voleva intentare.

Prima, tutti coloro con cui aveva da dire, per prenderlo in giro gli gridavano: - Sellate la mula! - Ora, invece: - Consultate il libricino! -
15 E Don Lollò rispondeva:

- Sicuro, e vi fulmino tutti, figli d'un cane!

Quella bella giara nuova, pagata quattr'onze ballanti e sonanti, in attesa del posto da trovarle in cantina, fu messa provvisoriamente nel *palmento*. Una
20 giara così non s'era mai vista. Collocata in quel posto impregnato della puzza di mosto e di quell'odore acre e crudo dei luoghi senz'aria e senza luce, faceva pena.

Da due giorni era cominciata l'*abbacchiatura*
25 delle olive, e Don Lollò era su tutte le furie perché, tra gli abbacchiatori e i mulattieri venuti con le mule cariche di concime da depositare a mucchi, non sapeva più come dividersi, a chi badare prima. E bestemmiava come un turco e minacciava di fulmi-

fare gli atti, andare dall'avvocato
palmento, la vasca che servea a pigiare l'uva
abbacchiatura, bacchiatura, battere i rami degli alberi per far cadere le olive

nare questi e quelli, se un'oliva, che fosse un'oliva, gli fosse mancata, come se prima le avesse contate tutte a una a una sugli alberi; o se non fosse ogni mucchio di concime della stessa misura degli altri. Col cappellaccio bianco, con la camicia aperta sul petto, rosso in volto e tutto sgocciolante di sudore, correva di qua e di là, girando gli occhi da lupo e strofinandosi con rabbia le guance rase, su cui la barba prepotente rispuntava quasi sotto la raschiatura del rasoio.

Ora, alla fine della terza giornata, tre dei contadini che avevano abbacchiato, entrando nel palmento per deporvi le scale e le canne, si meravigliarono di vedere la bella giara nuova, spaccata in due, come se qualcuno, con un taglio netto, prendendo tutta l'ampiezza della pancia, ne avesse staccato tutto il pezzo davanti.

- Guardate! guardate!

- Chi sarà stato?

- Oh, mamma mia! E chi lo sente ora Don Lollò? La giara nuova, peccato!

Il primo, più pauroso di tutti, propose di socchiudere subito la porta e andare via zitti zitti, lasciando fuori le scale e le canne appoggiate al muro.

Ma il secondo:

- Siete pazzi? Con don Lollò? Sarebbe capace di credere che gliel'abbiamo rotta noi. Fermi qua tutti!

Uscì davanti al palmento e, facendosi portavoce delle mani, chiamò:

- Don Lollò! Ah, Don Lollòoo!

Quando venne su e vide lo scempio, sembrò impazzire. Si scagliò prima contro quei tre; ne afferrò uno per la gola e lo sollevò per il collo contro il muro gridando:

- Sangue della Madonna, me la pagherete!

Afferrato a sua volta dagli altri due, stravolti nelle facce da bestia sporche di terra, rivolse contro se stesso la rabbia furibonda, buttò a terra il cappellaccio, si diede schiaffi, pestando i piedi e gridando come quelli che piangono un parente morto:

- La giara nuova! Quattr'onze di giara! Non ancora usata!

Voleva sapere chi gliel'avesse rotta! Possibile che si fosse rotta da sola? Qualcuno per forza doveva averla rotta, per cattiveria o per invidia! Ma quando? Ma come? Non gli si vedeva segno di violenza! Che fosse arrivata rotta dalla fabbrica? Ma che! Suonava come una campana!

Appena i contadini videro che la prima furia gli era passata, cominciarono ad esortarlo a calmarsi. La giara si poteva riparare. Non era poi rotta malamente. Un pezzo solo. Un bravo *conciabrocche* l'avrebbe rimessa su, nuova. C'era giusto Zi' Dima Licasi, che aveva scoperto un mastice miracoloso, di cui conservava gelosamente il segreto: un mastice, che neanche il martello aveva il potere di spaccare quello che era stato incollato. Ecco, se don Lollò voleva, domani, allo spuntare dell'alba, Zi' Dima Licasi sarebbe venuto lì e avrebbe riparato, in quattro e quattr'otto, la giara, meglio di prima.

Don Lollò diceva di no, a quelle esortazioni: ch'era tutto inutile; che non c'era più rimedio; ma alla fine si lasciò persuadere, e il giorno dopo, all'alba,

---

| *conciabrocche*, la persona che ripara vasi

30

puntuale, si presentò a Primosole Zi' Dima Licasi con la cesta degli attrezzi dietro le spalle.

Era un vecchio zoppo, dalle ossa deformi e nodose, come un ceppo antico di olivo saraceno. Per cavargli una parola di bocca ci voleva l'uncino. 5 Superbia o tristezza radicate in quel suo corpo deforme; o anche scarsa fiducia che nessuno potesse capire e apprezzare giustamente il suo merito d'inventore non ancora riconosciuto.

Voleva che parlassero i fatti, Zi' Dima Licasi. 10 Doveva poi guardarsi davanti e dietro, perché non gli rubassero il segreto.

- Fatemi vedere questo mastice - gli disse per prima cosa Don Lollò, dopo averlo squadrato a lungo con diffidenza. 15

Zi' Dima negò col capo, pieno di dignità.

- All'opera si vede.

- Ma verrà bene?

Zi' Dima posò a terra la cesta; ne tirò fuori un grosso fazzoletto di cotone rosso, logoro e tutto 20 avvoltolato; prese a svolgerlo pian piano, tra l'attenzione e la curiosità di tutti, e quando alla fine venne fuori un paio d'occhiali con la montatura e le stanghette rotte e legate con lo spago, lui sospirò e gli altri risero. Zi' Dima non se ne curò; si pulì le 25 dita prima di pigliare gli occhiali; se li inforcò; poi si mise a esaminare con molta gravità la giara portata sull'*aia*. Disse:

- Verrà bene.

- Col mastice solo però - mise per patto lo Zirafa 30

aia, cortile di casa di campagna

31

- non mi fido. Ci voglio anche i punti.

- Me ne vado - rispose senz'altro Zi' Dima, alzandosi e rimettendosi la cesta dietro le spalle.

Don Lollò lo acchiappò per un braccio.

5   - Dove? Signore e porco, così trattate? Ma guarda un po' che arie da Carlomagno! Scannato miserabile e pezzo d'asino, ci devo metter olio, io, là dentro, e l'olio filtra! Un miglio di spaccatura, col mastice solo? Ci voglio i punti. Mastice e punti. Comando
10 io.

Zi' Dima chiuse gli occhi, strinse le labbra e scosse il capo. Tutti così! Gli era negato il piacere di fare un lavoro pulito, filato coscienziosamente a regola d'arte, e di dare una prova della virtù del
15 suo mastice.

- Se la giara - disse - non suona di nuovo come una campana...

- Non sento niente, - lo interruppe Don Lollò. - I punti! Pago mastice e punti. Quanto vi debbo dare?
20   - Se col mastice solo...

- Caspita che testa! - esclamò lo Zirafa. - Come parlo? V'ho detto che ci voglio i punti. C'intenderemo a lavoro finito: non ho tempo da perdere con voi.

E se ne andò a badare ai suoi uomini.

25 Zi' Dima si mise all'opera gonfio d'ira e di dispetto. E l'ira e il dispetto aumentavano ad ogni buco che praticava col trapano nella giara e nel pezzo spaccato per farvi passare il fil di ferro della cucitura. Accompagnava il movimento della punta del tra-
30 pano con *grugniti* a mano a mano più frequenti e più forti; e il viso gli diventava più verde dalla bile e

  | *grugnito*, verso del maiale

32

gli occhi più aguzzi e accesi di stizza. Finita quella prima operazione, scagliò con rabbia il trapano nella cesta; applicò il pezzo staccato alla giara per provare se i buchi erano a uguale distanza e in corrispondenza tra loro, poi con le tenaglie fece del fil di ferro tanti pezzetti quanti erano i punti che doveva dare, e chiamò per aiuto uno dei contadini che abbacchiavano.

- Coraggio, Zi' Dima! - gli disse quello, vedendogli la faccia irritata.

Zi' Dima alzò la mano a un gesto rabbioso. Aprì la scatola di latta che conteneva il mastice, e lo levò al cielo, scuotendolo, come per offrirlo a Dio, visto che gli uomini non volevano riconoscerne le virtù: poi col dito cominciò a spalmarlo tutt'in giro al pezzo staccato e lungo la spaccatura; prese le tenaglie e i pezzetti di fil di ferro preparati avanti, e si mise dentro la pancia aperta della giara, ordinando al contadino di applicare il pezzo alla giara, così come aveva fatto lui prima. Prima di cominciare a dare i punti:

- Tira! - disse dall'interno della giara al contadino. - Tira con tutta la tua forza! Vedi se si stacca più? Malanno a chi non ci crede! Picchia, picchia! Suona, si o no, come una campana anche con me qua dentro? Va', va' a dirlo al tuo padrone!

- Chi è sopra comanda, Zi' Dima, - sospirò il contadino - e chi è sotto si danna! Date i punti, date i punti.

E Zi' Dima si mise a far passare ogni pezzetto di fil di ferro attraverso i due buchi accanto, l'uno di qua e l'altro di là della saldatura; e con le tenaglie ne attorceva i due capi. Ci volle un'ora a passarli tutti. I sudori, giù a fontana, dentro la giara. Lavorando, si lagnava della sua mala sorte. E il contadino, di fuori, a confortarlo.

- Ora aiutami a uscirne, - disse alla fine Zi' Dima.

Ma quanto larga di pancia, tanto quella giara era stretta di collo. Zi' Dima, nella rabbia, non ci aveva fatto caso. Ora, prova e riprova, non trovava più il modo di uscirne. E il contadino invece di aiutarlo, eccolo là, si piegava dalle risate. Imprigionato, imprigionato lì, nella giara da lui stesso riparata e che ora - non c'era via di mezzo - per farlo uscire, doveva essere rotta daccapo e per sempre.

Alle risa, alle grida, sopravvenne Don Lollò. Zi' Dima, dentro la giara, era come un gatto inferocito.

Fatemi uscire! - urlava -. Corpo di Dio, voglio uscire! Subito! Aiutatemi!

Don Lollò rimase dapprima come stordito. Non riusciva a crederci.

- Ma come? Là dentro? S'è cucito là dentro?

S'accostò alla giara e gridò al vecchio:

- Aiuto? E che aiuto posso darvi io? Vecchiaccio *stolido*, ma come? non dovevate prender prima le misure? Su, provate: fuori un braccio... così! e la testa... su... no, piano! Che! Giù... aspettate! così no! Giù, giù... Ma come avete fatto? E la giara, adesso? Calma! Calma! Calma! - si mise a raccomandare tutt'intorno, come se la calma stessero per perderla gli altri e non lui. - Mi fuma la testa! Calma! *Questo è caso nuovo...* La mula!

---

stolido, poco intelligente
questo è caso nuovo, un nuovo caso per l'avvocato

Picchiò con le *nocche* delle dita sulla giara. Suonava davvero come una campana.

- Bella! Rimessa a nuovo... Aspettate! - disse al prigioniero. - Va' a sellarmi la mula! - ordinò al contadino; e, grattandosi con tutte le dita la fronte, seguitò a dire tra sé: «Ma vedete un po' che mi capita! Questa non è giara! Quest'è strumento del diavolo! Fermo! Fermo lì!»

E venne a tenere la giara, in cui Zi' Dima, furibondo, si dibatteva come una bestia in trappola.

- Caso nuovo, caro mio, che deve risolvere l'avvocato! Io non mi fido. La mula! La mula! Vado e torno, abbiate pazienza! Nell'interesse vostro... Intanto, piano! calma! Io mi guardo i miei interessi. E prima di tutto, per salvare il mio diritto, faccio il mio dovere. Ecco: vi pago il lavoro, vi pago la giornata. Cinque lire. Vi bastano?

- Non voglio nulla! - gridò Zi' Dima. - Voglio uscire.

- Uscirete. Ma io, intanto, vi pago. Qua, cinque lire.

Le cavò dal taschino del panciotto e le buttò nella giara. Poi domandò, premuroso:

- Avete fatto colazione? Pane e companatico, subito! Non ne volete? Buttatelo ai cani! A me basta che ve l'abbia dato.

Ordinò che glielo dessero; montò in sella, e via di galoppo per la città. Chi lo vide, credette che andasse a chiudersi da sé in manicomio, tanto e in così strano modo gesticolava.

---

nocche, parte della mano, giuntura delle dita (sing. nocca)

Per fortuna, non gli toccò aspettare nello studio dell'avvocato; ma gli toccò d'attendere un bel po', prima che questo finisse di ridere, quando gli ebbe esposto il caso. Si innervosì per le risa.

5 - Che c'è da ridere, scusi? *A vossignoria non brucia*! La giara è mia!

Ma quello continuava a ridere e voleva che gli rinarrasse il caso com'era stato, per farci su altre risate. "Dentro, eh? S'era cucito dentro? E lui, don 10 Lollò che pretendeva? Te... tene... tenerlo là dentro... ah ah ah... ohi ohi ohi... tenerlo là dentro per non perderci la giara?"

- Ce la devo perdere? - domandò lo Zirafa con i pugni serrati. - Il danno e l'offesa?

15 - Ma sapete come si chiama questo? - gli disse infine l'avvocato. - Si chiama sequestro di persona!

- Sequestro? E chi l'ha sequestrato? - esclamò lo Zirafa. - Si è sequestrato lui da sé! Che colpa ne ho io?

20 L'avvocato allora gli spiegò che erano due casi. Da un canto, lui, Don Lollò, doveva subito liberare il prigioniero per non rispondere di sequestro di persona; dall'altro il conciabrocche doveva rispondere del danno che veniva a causare con la sua incapa-25 cità o con la sua storditaggine.

- Ah! - rifiatò lo Zirafa. Pagandomi la giara!

- Piano! - osservò l'avvocato. - Non come se fosse nuova, badiamo!

- E perché?

30 - Ma perché era rotta, oh bella!

- Rotta? Nossignore. Ora è sana. Meglio che sana,

| *a vossignoria non brucia*, a voi non interessa

36

lo dice lui stesso! E se ora torno a romperla, non potrò più farla risanare. Giara perduta, signor avvocato!

L'avvocato gli assicurò che se ne sarebbe tenuto conto, facendogliela pagare per quanto valeva nello stato in cui era adesso.

- Anzi - gli consigliò - fatela stimare prima da lui stesso.

- Bacio le mani - disse Don Lollò, andando via di corsa.

Di ritorno, verso sera, trovò tutti i contadini in festa attorno alla giara abitata. Partecipava alla festa anche il cane di guardia, saltando e abbaiando. Zi' Dima s'era calmato, non solo, ma aveva preso gusto anche lui alla sua bizzarra avventura e ne rideva con la gioia maligna dei tristi.

Lo Zirafa scostò tutti e si sporse a guardare dentro la giara.

- Ah! Ci stai bene?

- Benone. Al fresco - rispose quello. - Meglio che a casa mia.

- Piacere. Intanto ti avverto che questa giara mi costò quattr'onze nuova. Quanto credi che possa costare adesso?

- Come me qua dentro? - domandò Zi' Dima.

I villani risero.

- Silenzio! - gridò lo Zirafa. - Delle due l'una: o il tuo mastice serve a qualche cosa, o non serve a nulla: se non serve a nulla tu sei un imbroglione; se serve a qualche cosa, la giara, così com'è, deve avere il suo prezzo. Che prezzo? Stimala tu.

Zi' Dima rimase un pezzo a riflettere, poi disse:

- Rispondo. Se lei me l'avesse fatta riparare col

mastice solo, com'io volevo, io, prima di tutto, non mi troverei qua dentro, e la giara avrebbe su per giù lo stesso prezzo di prima. Così conciata con questi puntacci, che ho dovuto darle per forza di qua dentro, che prezzo potrà avere? Un terzo di quanto valeva, sì e no.

- Un terzo? - domandò lo Zirafa. - Un'onza e trentatré?

- Meno sì, più no.

- Ebbene, - disse Don Lollò. - Passi la tua parola, e dammi un'onza e trentatré.

- Che? - fece Zi' Dima, come se non avesse inteso.

- Rompo la giara per farti uscire, - rispose Don Lollò - e tu, dice l'avvocato, me la paghi per quanto l'hai stimata: un'onza e trentatré.

- Io pagare? - sghignazzò Zi' Dima. - Vossignoria scherza! Qua dentro ci faccio i vermi.

E, tratta di tasca con un po' di fatica la pipetta incrostata, l'accese e si mise a fumare, cacciando il fumo per il collo della giara.

Don Lollò ci restò male. Quest'altro caso, che Zi' Dima ora non volesse più uscire dalla giara, nè lui nè l'avvocato l'avevano previsto. E come si risolveva adesso? Fu sul punto di ordinare di nuovo: «La mula», ma pensò che era già sera.

- Ah, sì - disse. - Tu vuoi abitare nella mia giara? Testimonii tutti qua! Non vuole uscirne lui, per non pagarla; io sono pronto a romperla! Intanto, poiché vuole stare lì, domani io lo cito per alloggio abusivo e perché mi impedisce l'uso della giara.

Zi' Dima cacciò prima fuori un'altra boccata di fumo, poi rispose placido:

- Nossignore. Non voglio impedirle niente, io. Sto

forse qua per piacere? Mi faccia uscire, e me ne vado volentieri. Pagare... neanche per scherzo, vossignoria!

Don Lollò, in un impeto di rabbia, alzò un piede per dare un calcio alla giara; ma si trattenne; la abbracciò invece con ambo le mani e la scrollò tutta, fremendo.

- Vede che mastice? - gli disse Zi' Dima.

- Pezzo da galera! - ruggì allora lo Zirafa. - Chi l'ha fatto il male, io o tu? E devo pagarlo io? Muori di fame là dentro! Vediamo chi la vince!

E se ne andò, non pensando alle cinque lire che gli aveva buttate la mattina dentro la giara. Con esse, per cominciare, Zi' Dima pensò di far festa quella sera coi contadini che, avendo fatto tardi per quello strano incidente, rimanevano a passare la notte in campagna, all'aperto, sull'aia. Uno andò a far le spese in una taverna lì presso. A farlo apposta, c'era una luna che pareva fosse giorno.

A una cert'ora don Lollò, andato a dormire, fu svegliato da un baccano d'inferno. S'affacciò a un balcone della cascina, e vide su l'aia, sotto la luna, tanti diavoli; i contadini ubriachi che, presisi per mano, ballavano attorno alla giara. Zi' Dima, là dentro, cantava a squarciagola.

Questa volta non poté più reggere, Don Lollò: si precipitò come un toro infuriato e, prima che quelli avessero tempo di pararlo, con uno spintone mandò a rotolare la giara giù per la costa. Rotolando, accompagnata dalle risa degli ubriachi, la giara andò a spaccarsi contro un olivo.

E la vinse Zi' Dima.

Niente

La carrozza che corre rumorosa nella notte per la vasta piazza deserta, si ferma davanti al freddo chiarore d'una vetrata opaca di farmacia all'angolo di via San Lorenzo. Un signore impellicciato si lancia sulla maniglia di quella vetrata per aprirla. Piega di qua, piega di là - che diavolo? - non s'apre.

- Provi a suonare, - suggerisce il *vetturino*.

- Dove, come si suona?

- Guardi, c'è lí il pallino. Tiri.

Quel signore tira con furia rabbiosa.

- Bell'assistenza notturna!

E le parole, sotto il lume della lanterna rossa, evaporano nel gelo della notte, quasi andandosene in fumo.

Si sente il fischio lamentoso d'un treno in partenza dalla stazione vicina. Il vetturino prende l'orologio; si china verso uno dei fanaletti; dice:

- Eh, vicino le tre...

Alla fine il giovine di farmacia, tutto pieno di sonno, col collo della giacca tirato fin sopra gli orecchi, viene ad aprire.

E subito il signore:

- C'è un medico?

Ma quello, avvertendo sulla faccia e sulle mani il gelo di fuori, fa un passo indietro, alza le braccia, stringe i pugni e comincia a stropicciarsi gli occhi, sbadigliando:

- A quest'ora?

Poi, per interrompere le proteste del cliente, il

---

vetturino, la persona che guida la carrozza

40

quale - ma sí, Dio mio, sí - tutta quella furia, sí, a ragione: chi dice di no? - ma dovrebbe pure compatire chi a quell'ora ha anche ragione d'aver sonno - ecco, ecco, si toglie le mani dagli occhi e prima di tutto gli fa cenno d'aspettare; poi, di seguirlo dietro *5* il banco, nel laboratorio della farmacia.

Il vetturino intanto, rimasto fuori, scende dalla carrozza e vuole prendersi la soddisfazione di sbottonarsi i *calzoni* per far lí apertamente, davanti alla vasta piazza deserta, quel che di giorno non è per- *10* messo fare senza coprirsi.

Perché è pure un piacere, mentre qualcuno si affanna per chiedere agli altri soccorso e assistenza, attendere tranquillamente, così, alla soddisfazione d'un piccolo bisogno naturale, e veder che tutto *15* rimane al suo posto: là, quegli alberi neri in fila che costeggiano la piazza, gli alti tubi di ghisa che sorreggono la trama dei fili dei tram e qua gli uffici della dogana accanto alla stazione.

Il laboratorio della farmacia, dal tetto basso e a *20* *scaffalature*, è quasi al buio e appestato dal *tanfo* dei medicinali. La tavola in mezzo, piena di *bocce, vasetti, bilance, mortai e imbuti*, impedisce di vedere se sul logoro divanuccio di cuoio stia dormendo il medico di guardia. *25*

- Eccolo, c'è - dice il giovane di farmacia, indicando un pezzo d'omone che dorme penosamente,

---

calzoni, pantaloni
scaffalature, vedi illustrazione a pagina 42
tanfo, cattivo odore
bocce, vasi di vetro rotondi
vasetti, bilancia, mortaio, imbuto, vedi illustrazione a pagina 42

scaffalature

vasetti

mortaio

imbuto

bilancia

tutto piegato su di se e coperto, con la faccia schiacciata contro la spalliera.

    - E lo chiami, perdio!

    - Eh, una parola! E' capace di darmi un calcio, sa?

5   - Ma è medico?

    - Medico, medico. Il dottor Mangoni.

    - E dà calci?

    - Capirà, svegliarlo a quest'ora...

    - Lo chiamo io!

10   E il signore, con decisione, si china sul divanuccio e scuote il dormente.

- Dottore! dottore!

Il dottor Mangoni urla dentro la barbaccia arruffata che gli copre le guance quasi fin sotto gli occhi; poi stringe i pugni sul petto e alza i gomiti per stirarsi; infine si mette a sedere, curvo, con gli occhi ancora chiusi sotto le folte sopracciglia.

- Ecco, dottore... Subito, la prego, - dice impaziente il signore. - Un caso d'asfissia...

- Col carbone? - domanda il dottore, girandosi ma senza aprir gli occhi. Alza una mano a un gesto melodrammatico e, provando a fare uscire la voce dalla gola ancora addormentata, accenna l'aria della "Gioconda": Suicidio? In questi fieeeriii momenti...

Quel signore si stupisce e si indigna. Ma il dottor Mangoni, subito, scuote indietro la testa e apre un occhio solo:

- Scusi, - dice, - è un suo parente?

- Nossignore! Ma la prego, faccia presto! Le spiegherò strada facendo. Ho qui la carrozza. Se deve prendere qualche cosa...

- Sí, dammi... dammi... - comincia a dire il dottor Mangoni al giovane di farmacia mentre prova ad alzarsi.

- Penso io, penso io, signor dottore, - risponde quello, girando la chiavetta della luce elettrica e muovendosi tutt'a un tratto con una allegra fretta che impressiona il cliente notturno.

Il dottor Mangoni storce la testa come un bue pronto a combattere, per difendersi gli occhi dalla luce.

- Sí, bravo figliuolo, - dice. - Ma mi hai accecato. Oh, e il mio elmo? Dov'è?

L'elmo è il cappello. Lo ha, sì. Per averlo, lo ha: positivo. Ricorda d'averlo posato, prima d'addormentarsi, sullo sgabello accanto al divanuccio. Dov'è andato a finire?

5 Si mette a cercarlo. Anche il cliente lo cerca, poi anche il vetturino, entrato a riconfortarsi al caldo della farmacia. E intanto il giovane farmacista ha tutto il tempo di preparare un bel paccone di cure urgenti.

10 - La siringa per le iniezioni, dottore, ce l'ha?

- Io? - si volta a rispondergli il dottor Mangoni con una meraviglia che provoca in quello uno scoppio di risa.

- Bene bene. Dunque, si dice, carte senapate.
15 Otto, basteranno? Caffeina, stricnina. Una Pravaz. E l'ossigeno, dottore? Ci vorrà pure un sacco d'ossigeno, penso.

- Il cappello ci vuole! Il cappello! Il cappello prima di tutto! - grida tra gli sbuffi il dottor Mangoni. E
20 spiega che, tra l'altro, a quel cappello lui c'è affezionato, perché è un cappello storico: comprato circa undici anni fa in occasione dei solenni funerali di Suor Maria dell'Udienza, Superiora del ricovero notturno al vicolo del Falco, in Trastevere, dove lui
25 va spesso a mangiare ottimi piatti di minestra economica, e a dormire, quando non è di guardia nelle farmacie.

Finalmente trovano il cappello, non lì nel laboratorio ma di là, sotto il banco della farmacia. Ci ha
30 giocato il gattino.

Il cliente è impaziente. Ma comincia un'altra lunga discussione, perché il dottor Mangoni, con cappello tutto schiacciato tra le mani, vuole dimostrare che il gattino, sì, senza dubbio, ci ha giocato, ma che anche lui, il giovine di farmacia, lo ha dovuto colpire col piede sotto il banco. Basta. Allunga il pugno allungato dentro il cappello, che per miraco-lo non si sfonda, e il dottor Mangoni se lo mette in testa.

- Ai suoi ordini, pregiatissimo signore!

- Un povero giovane, - dice subito il signore salendo in carrozza e stendendo la coperta sulle gambe del dottore e sulle proprie.

- Ah, bravo! Grazie.

- Un povero giovane che un mio fratello mi ave-va ben raccomandato, perché gli trovassi un lavoro. Eh già, capisce? Come se fosse la cosa più facile del mondo; t-o-to, fatto. La solita storia. Sembra che quelli della provincia vivano in un altro mondo: cre-dono che basti venire a Roma per trovare un impie-go: t-o-to, fatto. Anche mio fratello, sissignore!Mi ha fatto questo bel regalo. Uno dei soliti *spostati*, sa: figlio d'un fattore di campagna, morto da due anni al servizio di questo mio fratello. Viene a Roma, per far che cosa? Niente, il giornalista, dice. Mi presen-ta i titoli: la licenza liceale e un quaderno di versi. Dice: "Lei deve trovarmi un posto di lavoro in qual-che giornale". Io? Roba da matti! Cerco di fargli ottenere il rimpatrio dalla questura. E intanto, pote-vo lasciarlo in mezzo alla strada, di notte? Quasi nudo, era; morto di freddo, con un abituccio di tela leggero; e due o tre lire in tasca: non più di tanto. Gli do alloggio in una mia casetta, qua, a San Loren-zo, affittata a certa gente... lasciamo stare! Gentuc-

spostato, persona disadattata o emarginata dalla società

cia che subaffitta due camerette mobiliate. Non pagano l'affitto da quattro mesi. Me n'approfitto; lo metto a dormire lì. E va bene! Passano cinque giorni; *non c'è verso* d'ottenere il foglio di rimpatrio dalla questura. La precisione di questi impiegati: come gli uccelli, sa? Cacano da per tutto, scusi! Per rilasciare quel foglio devono far prima non so che pratiche là, al paese; poi qua alla questura. Basta: questa sera ero a teatro, al Nazionale. Viene, tutto spaventato, il figlio della mia inquilina a chiamarmi a mezzanotte e un quarto, perché quel disgraziato s'era chiuso in camera, dice, con un *braciere* acceso. Dalle sette di sera, capisce?

A questo punto il signore si china un poco a guardare il dottore che, durante il racconto, non ha più dato segno di vita. Temendo che si sia riaddormentato, ripete più forte:

- Dalle sette di sera!

- Come trotta bene questo cavallino, - gli dice allora il dottore Mangoni, sdraiato con gran piacere nella carrozza.

Quel signore resta, come se al buio abbia ricevuto un pugno sul naso.

- Ma scusi, dottore, ha sentito?

- Sissignore.

- Dalle sette di sera. Dalle sette a mezzanotte, cinque ore.

- Precise.

braciere

---

non c'è verso, è impossibile

46

- Respira però, sa! Appena appena. È tutto irrigidito, e...

- Che bellezza! Saranno... sí, aspetti, tre... no, che dico tre? Cinque anni saranno almeno, che non vado in carrozza. Come ci si va bene!

- Ma scusi, io le sto parlando...

- Sissignore. Ma abbia pazienza, che vuole che m'importi la storia di questo disgraziato?

- Per dirle che sono cinque ore...

- E va bene! Adesso vedremo. Crede lei che gli stia facendo un piacere?

- Come?

- Ma sì, scusi! Una ferita in un litigio, una tegola in testa, una disgrazia qualsiasi... prestare aiuto, chiamare il medico, lo capisco. Ma un pover'uomo, scusi, che zitto zitto si accuccia per morire?

- Come! - ripete, sempre più stupito, quel signore. E il dottor Mangoni, calmissimo:

- Abbia pazienza. Il più l'aveva fatto, quel poverino. Invece del pane, s'era comperato il carbone. Penso che avrà sprangato l'*uscio*, no? Coperto tutti i buchi; si sarà magari *alloppiato* prima; erano passate cinque ore; e lei va a disturbarlo sul più bello!

- Lei scherza! - grida il signore.

- No no; dico sul serio.

- Oh perdio! - scatta quello. - Ma sono stato disturbato io, mi sembra! Sono venuti a chiamarmi...

- Capisco, già, a teatro.

uscio, porta
alloppiato, addormentato con l'oppio, la droga

47

- Dovevo lasciarlo morire? E allora, altri problemi, è vero? Come se fossero pochi quelli che m'ha dati. Queste cose non si fanno in casa d'altri, scusi!

- Ah, si, si; qui, si, ha ragione, - riconosce con un
5 sospiro il dottor Mangoni. - Se ne poteva andare a morire fuori dai piedi, lei dice. Ha ragione. Ma il letto tenta, sa! Tenta, tenta. Morire per terra come un cane... Lo lasci dire a uno che non ne ha!

- Che cosa?

10 - Letto.

- Lei?

Il dottor Mangoni tarda a rispondere. Poi, lentamente, col tono di chi ripete una cosa già detta tante altre volte:

15 - Dormo dove posso. Mangio quando posso. Vesto come posso.

E subito aggiunge:

- Ma non creda oh, che ne sia afflitto. Al contrario. Sono un grand'uomo, io, sa? Ma *dimissionario*.

20 Il signore s'incuriosisce di quel bel tipo di medico in cui gli è capitato cosí per caso d'imbattersi; e ride, domandando:

- Dimissionario? Come sarebbe a dire dimissionario?

25 - Che capii a tempo, caro signore, che non metteva conto di nulla. E che anzi, quanto più si fa fatica a divenir grandi, e più si diventa piccoli. Per forza. Ha moglie lei, scusi?

- Io? Sissignore.

30 - Mi pare che abbia sospirato dicendo sissignore.

- Ma no, non ho sospirato affatto.

---

dimissionario, senza agi e sicurezze

48

49

-E allora, basta. Se non ha sospirato, non ne parliamo più.

E il dottor Mangoni torna a rannicchiarsi nel fondo della carrozza, facendo capire così che non gli
5 pare più il caso di continuare la conversazione. Il signore ci resta male.

- Ma che c'entra mia moglie, scusi?

Il vetturino a questo punto domanda:

- Insomma, dov'è? A momenti siamo a Campove-
10 rano!

- Uh, già! - esclama il signore. - Volta! volta! La casa è passata da un pezzo.

- Peccato tornare indietro, - dice il dottor Mangoni, -quando s'è quasi arrivati alla meta.

15 Il vetturino volta, bestemmiando.

Una scaletta buia, che pare un antro dirupato: tetra, umida, fetida.

- Ahi! Maledizione. Diòòòdiodio!

- Che cos'è? s'è fatto male?

20 - Il piede. Ahiahi. Ma non ci avrebbe un *fiammi-fero*, scusi?

fiammifero

- Mannaggia! Cerco la scatola. Non la trovo!

Alla fine, un barlume che viene da una porta aperta sul pianerottolo della terza branca.

25 La sventura, quando entra in una casa, ha questo di particolare: che lascia la porta aperta, così che ogni estraneo possa introdursi a curiosare.

Il dottor Mangoni segue zoppicando il signore che attraversa una squallida saletta con un lumino bianco a petrolio per terra presso l'entrata; poi, senza chieder permesso a nessuno, un corridoio buio, con tre usci: due chiusi, l'altro, in fondo, aperto e debolmente illuminato. Nel dolore di quella storta al piede, trovandosi col sacco dell'ossigeno in mano, gli viene la tentazione di scaraventarlo alle spalle di quel signore; ma lo posa per terra, si ferma, si appoggia con una mano al muro, e con l'altra, tirato su il piede, se lo stringe forte alla noce, provandosi a muoverlo in qua e in là, col volto tutto contorto.

Intanto, nella stanza in fondo al corridoio, è scoppiata, chi sa perché, una lite tra quel signore e gli inquilini. Il dottor Mangoni lascia il piede e fa per muoversi, volendo sapere che cosa è accaduto, quando si vede venire addosso come una bufera quel signore che grida:

- Sì, sì, da stupidi! Da stupidi! Da stupidi!

Fa appena a tempo a evitarlo; si volta, lo vede inciampare nel sacco d'ossigeno:

- Piano! Piano, per carità!

Ma che piano! Quello dà un calcio al sacco; se lo ritrova tra i piedi; sta di nuovo per cadere e, bestemmiando, scappa via, mentre sulla porta della stanza in fondo al corridoio appare un *tozzo e goffo* vecchio in pantofole e papalina, con una grossa sciarpa di lana verde al collo, da cui emerge un faccione tutto gonfio e paonazzo, illuminato dalla candela, tenuta in una mano.

- Ma scusi... dico, o che era meglio allora, che lo lasciavamo morire qua, aspettando il medico?

---

tozzo e goffo, grosso, basso e senza grazia

Il dottor Mangoni crede che si rivolga a lui e gli risponde:

- Eccomi qua, sono io.

Ma quello alza la mano con la candela; lo osser-
va, e sbalordito gli domanda:

- Lei? Chi?

- Non diceva il medico?

- Ma che medico! ma che medico! - protesta, strillando, nella camera di là, una voce di donna.

E si precipita nel corridoio la moglie di quel degno vecchio in pantofole e papalina, tutta sussultante, con una nuvola di capelli grigi e ricci per aria, gli occhi affumicati ammaccati e piangenti, la bocca tagliata di traverso, oscenamente dipinta, che le freme convulsa. Sollevando la testa da un lato, per guardare, dice autoritaria:

- Se ne può andare! se ne può andare! Non c'è più bisogno di lei! L'abbiamo fatto portare al Policlinico, perché moriva!

E colpendo in un braccio il marito violentemente:

- Fallo andar via!

Ma il marito strilla e fa un balzo perché, così colpito nel braccio, la cera della candela bollente gli è sgocciolata sulle dita.

- Eh, piano, santo Dio!

Il dottor Mangoni protesta, ma senza troppa rabbia, che non è un ladro, né un assassino da esser mandato via a quel modo; che se è venuto, è perché sono andati a chiamarlo in farmacia; che per ora ci ha guadagnato soltanto una storta al piede, per cui chiede che lo lascino sedere almeno per un momento.

- Ma si figuri, qua, venga, s'accomodi, s'accomodi, signor dottore, - s'affretta a dirgli il vecchio, portandolo nella stanza in fondo al corridoio; mentre la moglie, sempre con la testa sollevata da un lato per guardare come una gallina stizzita, lo spia impressionata da tutta quella feroce barba fin sotto gli occhi.

- Ma guarda, oh, se per aver fatto il bene, - dice ora, tranquilla, come per scusarsi, - ci si deve anche prendere i rimproveri!

- Già, i rimproveri, - aggiunge il vecchio cacciando la candela accesa nel *bocciuolo* della *bugia* sul tavolino da notte accanto al lettino vuoto, disfatto, dove i cuscini conservano ancora l'impronta della testa del giovinetto suicida. Quietamente si toglie poi dalle dita le gocce diventate solide, e continua:

bocciuolo

bugia

- Perché dice che noi, non dovevamo portarlo all'ospedale, non dovevamo.

- Tutto nero era diventato! - grida, scattando, la moglie. -Ah, quel visino. Pareva succhiato. E che occhi! E quelle labbra, nere, che mostravano i denti, appena appena. Senza più fiato...

E si copre il volto con le mani.

- Dovevamo lasciarlo morire senza aiuto? - ridomanda calmo il vecchio. - Ma sa perché s'è arrabbiato? Perché sospetta, dice, che quel povero ragazzo sia un figlio bastardo di suo fratello.

- E ce l'aveva buttato qua, - riprende la moglie balzando in piedi di nuovo, non si sa se per rabbia

o per commozione. - Qua, per far nascere in casa mia questa tragedia, che non finirà per ora, perché la mia figliuola, la maggiore, se n'è innamorata, capisce? Come una pazza, vedendolo morire - ah,
5 che spettacolo! - se l'è caricato in collo, io non so com'ha fatto! Se l'è portato via, con l'aiuto del fratello, giù per le scale, sperando di trovare una carrozza per strada. Forse l'hanno trovata. E mi guardi, mi guardi là quell'altra figliuola, come piange.

10 Il dottor Mangoni, entrando, ha già intraveduto nella saletta da pranzo vicina una figliolona bionda spettinata intenta a leggere, coi gomiti sulla tavola e la testa tra le mani. Legge e piange, sì; ma col corpetto sbottonato e le rosee esuberanti rotondità del
15 seno quasi tutte scoperte sotto il lume giallo della lampada attaccata al soffitto.

Il vecchio padre, a cui il dottor Mangoni ora si volta come istupidito, fa con le mani gesti di grande ammirazione. Sul seno della figliuola? No. Su quel-
20 lo che la figliuola sta leggendo di là fra tante lacrime. Le poesie del giovinetto.

- Un poeta! - esclama. - Un poeta, che se lei sentisse... cose! Me ne intendo, perché professore di lettere a riposo. Cose grandi, cose grandi.

25 E va di là per prendere alcune di quelle poesie; ma la figliuola con rabbia le difende, per paura che la sorella maggiore, ritornando col fratello dall'ospedale, non gliele lascerà più leggere, perché vorrà tenersele gelosamente per sé, come se lei sola fosse
30 l'erede di un tesoro.

- Almeno qualcuna di queste che hai già lette, - insiste timidamente il padre.

Ma quella, curva con tutto il seno sulle carte,

pesta un piede e grida: - No! - Poi le raccoglie dalla tavola, se le riprese con le mani sul seno scoperto e se le porta via in un'altra stanza.

Il dottor Mangoni si volta allora a guardar di nuovo quella tristezza di lettino vuoto, che rende inutile la sua visita; poi guarda la finestra che, nonostante il gelo della notte, è rimasta aperta in quella funerea stanza per far andar via la puzza del carbone.

La luna illumina la finestra aperta. Nella notte alta, la luna. Il dottor Mangoni se la immagina, come tante volte, vagando per vie lontane, l'ha vista, quando gli uomini dormono e non la vedono più, sprofondata e perduta nel cielo alto.

Si alza, sbuffando, per andarsene. Infine, via, è uno dei tanti casi che capitano solitamente, stando di guardia nelle farmacie notturne. Forse un po' più triste degli altri, a pensare che probabilmente, chi sa! Era un poeta davvero quel povero ragazzo. Ma, in questo caso, meglio così: che sia morto.

- Senta, - dice al vecchio che s'è alzato anche lui per riprendere in mano la candela. - Quel signore che li ha rimproverati e che è venuto a svegliarmi in farmacia, dev'essere veramente un imbecille. Aspetti: mi lasci dire. Non perché vi ha rimproverati, ma perché gli ho domandato se aveva moglie, e mi ha risposto di sì; ma senza sospirare. Ha capito?

Il vecchio lo guarda a bocca aperta. Evidentemente non capisce. Capisce la moglie, che salta su a domandargli:

- Perché chi dice d'aver moglie, secondo lei, dovrebbe sospirare?

E il dottor Mangoni, pronto:

- Come m'immagino che sospira lei, cara signora,

se qualcuno le domanda se ha marito.

E glielo addita. Poi riprende:

- Scusi, a quel giovinetto, se non si fosse ucciso, lei avrebbe dato in moglie la sua figliuola?

Quella lo guarda per un po', di traverso, e poi gli risponde:

- E perché no?

- E se lo sarebbero preso qua con loro in questa casa? - torna a domandare il dottor Mangoni.

E quella, di nuovo:

- E perché no?

- E lei, - domanda ancora il dottor Mangoni, rivolto al vecchio marito, - lei che se n'intende, professore di lettere a riposo, gli avrebbe anche consigliato di stampare quelle sue poesie?

Per non esser da meno della moglie, il vecchio risponde anche lui:

- E perché no?

- E allora, - conclude il dottor Mangoni, - me ne dispiace, ma devo dir loro, che sono per lo meno due volte più imbecilli di quel signore.

E volta le spalle per andarsene.

- Si può sapere perché? - gli grida dietro la donna molto arrabbiata.

Il dottor Mangoni si ferma e le risponde tranquillamente:

- Abbia pazienza. Mi ammetterà che quel povero ragazzo sognava forse la gloria, se faceva poesie. Ora pensi un po' che cosa gli sarebbe diventata la gloria, facendo stampare quelle sue poesie. Un povero, inutile volumetto di versi. E l'amore? L'amore che è la cosa più viva e più santa che ci sia dato provare sulla terra? Che cosa gli sarebbe diventato?

L'amore: una donna. Anzi, peggio, una moglie: la sua figliuola.

- Oh! oh! - minaccia quella, venendogli quasi con le mani in faccia. - Badi come parla della mia figliuola!

- Non dico niente, - s'affretta a protestare il dottor Mangoni. - Me l'immagino anzi bellissima e piena di tutte le virtú. Ma sempre una donna, cara signora mia: che dopo un po' santo Dio, lo sappiamo bene, con la povertà e i figliuoli, come si sarebbe ridotta. E il mondo, dica un po'? Il mondo, dove io adesso con questo piede che mi fa tanto male mi vado a perdere; il mondo veda lei, veda lei, signora cara, che cosa gli sarebbe diventato! Una casa. Questa casa. Ha capito?

E facendo scattar le mani in curiosi gesti di nausea e di sdegno, se ne va, zoppicando e borbottando:

- Che libri! Che donne! Che casa! Niente... niente... niente... Dimissionario! dimissionario! Niente.

L'Avemaria di Bobbio

Un caso singolarissimo era accaduto, parecchi anni fa, a Marco Saverio Bobbio, uno dei notai più stimati di Richieri.

Nel poco tempo che la professione gli lasciava libero, si era sempre dilettato di studi filosofici, e molti e molti libri d'antica e nuova filosofia aveva letti e qualcuno anche riletto e profondamente meditato.

Purtroppo Bobbio aveva in bocca più di un dente *guasto*. E niente, secondo lui, poteva disporre meglio allo studio della filosofia, che il mal di denti. Tutti i filosofi, a suo dire, avevano dovuto avere e dovevano avere in bocca almeno un dente guasto.

5 Schopenhauer, certo, più d'uno.

Il mal di denti, lo studio della filosofia; e lo studio della filosofia, a poco a poco, aveva avuto per conseguenza la perdita della fede, fortissima un tempo, quando Bobbio era fanciullino e ogni mattina anda-

10 va a messa con la mamma e ogni domenica si faceva la santa comunione nella chiesetta della Badiola al Carmine.

Ciò che conosciamo di noi è però solamente una parte, e forse piccolissima, di ciò che siamo a

15 nostra insaputa. Bobbio anzi diceva che ciò che chiamiamo coscienza è paragonabile alla poca acqua che si vede nel collo d'un pozzo senza fondo. E intendeva forse dire con questo che, oltre i limiti della memoria, vi sono percezioni e azioni

20 che ci rimangono *ignote*, perché veramente non sono più nostre, ma solo nel nostro passato, con pensieri e affetti già cancellati in noi da un lungo oblio; ma che al richiamo improvviso di una sensazione, sia sapore, sia colore o suono, possono

25 ancora tornare in vita, mostrando ancor vivo in noi un altro essere insospettato. Marco Saverio Bobbio, ben noto a Richieri non solo per la sua qualità di eccellente e scrupolosissimo notaio, ma anche e forse più per la

30 gigantesca statura, che la *tuba*, tre

tuba

---

guasto, malato, rovinato.
ignote, sconosciute

menti e la pancia enorme rendevano spettacolosa; ormai senza fede e scettico, aveva tuttora dentro - e non lo sapeva - il fanciullo che ogni mattina andava a messa con la mamma e le due sorelline e ogni domenica si faceva la santa comunione nel- la chiesetta della Badiola al Carmine; e che forse tuttora, all'insaputa di lui, andando a letto con lui, per lui univa le manine e recitava le antiche pre- ghiere, di cui Bobbio forse non ricordava più nean- che le parole.

Se n'era accorto bene lui stesso, parecchi anni fa, quando appunto gli era capitato questo singolarissi- mo caso.

Si trovava a villeggiare con la famiglia in un suo *poderetto* a circa due miglia da Richieri. Andava la mattina col *somarello* (povero somarello!) in città, per gli affari dello studio, che non gli davano pace; ritornava, la sera.

La domenica, però, ah la domenica voleva pas- sarsela tutta, e beatamente, in vacanza. Venivano parenti, amici; e si facevano gran tavolate all'aper- to: le donne attendevano a preparare il pranzo o *cicalavano*; i ragazzi facevano il chiasso tra loro; gli uomini andavano a caccia o giocavano alle bocce. Era uno spasso e uno spavento veder correre Bobbio dietro alle bocce, con quei tre menti e il pancione traballanti.

- Marco, - gli gridava la moglie da lontano, - non ti strapazzare! Bada, Marco, se starnuti!

poderetto, piccolo terreno
sómarello, piccolo asino
cicalare, conversare su argomenti poco importanti

Perché, Dio liberi se Bobbio starnutiva! Era ogni volta una terribile esplosione da tutte le parti; e spesso, tutto sgocciolante, doveva correre ai ripari con una mano davanti e l'altra dietro.

5 Non riusciva a controllare quel suo corpaccio. Pareva che questo, rompendo ogni freno, gli scappasse via, gli si precipitasse disordinato, lasciando tutti con l'anima pericolante pronti a parargliielo. Quando poi ritornava ad avere controllo sul suo
10 corpo, riequilibrato, sentiva certi strani dolori e guasti improvvisi, a un braccio, a una gamba, alla testa.

Più spesso, ai denti.

I denti, i denti erano la disperazione di Bobbio! Se n'era fatti strappare cinque, sei, non sapeva più
15 quanti; ma quei pochi che gli erano restati pareva avessero l'incarico di torturarlo anche per gli altri andati via.

Una di quelle domeniche, ch'era sceso in villa da Richieri il cognato con tutta la famiglia, moglie e figli
20 e parenti della moglie e parenti dei parenti, cinque carrozzate, e si era stati allegri più che mai, paf! all'improvviso, sul tardi, giusto nel momento di mettersi a tavola, uno di quei dolori... ma uno di quelli! Per non guastare agli altri la festa, il povero Bobbio
25 s'era ritirato in camera con una mano sulla guancia, la bocca semiaperta, e gli occhi pesanti come di piombo, pregando tutti che cominciassero a mangiare senza darsi pensiero di lui. Ma, un'ora dopo, era ricomparso come uno che non sapesse più in
30 che mondo si fosse, se un *mulino* a vapore, proprio un mulino a vapore, strepitoso, rombante, era potuto entrargli nella testa e macinargli in bocca, sì, sì, in bocca, in bocca, furiosamente. Tutti erano rimasti

mulino

perplessi e *costernati* a guardargli la bocca, come se davvero s'aspettassero di vederne colare farina. Ma che farina! Saliva, saliva gli colava. Non questo soltanto, però, era assurdo: tutto era assurdo nel mondo, e mostruoso, e atroce. Non stavano lì tutti a banchettare con aria di festa, mentre lui arrabbiava, impazziva? Mentre l'universo gli si spaccava nella testa?

Affannato, con gli occhi stravolti, la faccia arrossata, le mani sfarfallanti, come un orso alzava da terra ora una gamba ora l'altra, e agitava la testa, come se la volesse sbattere alle pareti. Tutti gli atti e i gesti erano, nell'intenzione, di rabbia e violenti: ma si manifestavano molli e invano, quasi per non disturbare il dolore, per non arrabbiarlo di più. Per carità, per carità, a sedere! A sedere! Oh, Dio! Lo volevano fare impazzire peggio, saltandogli addosso così? A sedere! a sedere! Niente. Nessuno poteva dargli aiuto! Sciocchezze... imposture... Niente, per carità! Non poteva parlare... Uno solo... andasse giù uno solo a far attaccare subito i cavalli a una delle carrozze arrivate la mattina. Voleva correre a Richieri a farsi strappare il dente. Subito! Subito! Intanto, tutti a sedere. Appena pronta la carrozza... Ma no, voleva andar su, solo! Non poteva sentir parlare, non poteva veder nessuno... Per carità, solo! solo!

| *costernato*, addolorato

61

Poco dopo, in carrozza - solo, come aveva voluto - abbandonato, sprofondato, perduto nel rombo del dolore atroce, mentre lungo lo stradone in salita i cavalli andavano quasi a passo nella sera sopravvenuta... Ma che era accaduto? Nello sconvolgimento della coscienza, Bobbio all'improvviso aveva provato un brivido, un brivido di tenerezza angosciosa per se stesso, che soffriva, oh Dio, soffriva da non poterne più. La carrozza passava in quel momento davanti a un rozzo *tabernacolo* della SS. Vergine delle Grazie, con un lanternino acceso, che pendeva davanti alla *grata*, e Bobbio, in quel brivido di tenerezza angosciosa, con la coscienza sconvolta, senza sapere più quello che facesse, aveva fissato lo sguardo lacrimoso a quel lanternino, e...

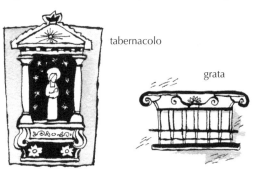

tabernacolo

grata

«Ave Maria, piena di grazie, il Signore è con Te, benedetta tra tutte le donne, e benedetto il frutto del Tuo ventre, Gesù. Santa Maria madre di Dio, prega per noi peccatori, ora e nell'ora della nostra morte. Così sia.»

invano, inutilmente

62

E, all'improvviso, un silenzio, un gran silenzio gli
s'era fatto dentro; e, anche fuori, un gran silenzio
misterioso, come di tutto il mondo: un silenzio pieno di freschezza, misteriosamente lieve e dolce.
Si era tolto la mano dalla guancia, ed era rimasto   5
sorpreso, sbalordito, ad ascoltare. Un lungo, lungo
respiro di conforto, di sollievo, gli aveva ridato l'a-
nima. Oh Dio! Ma come? Il mal di denti gli era passato, gli era proprio passato, come per un miracolo.
Aveva recitato l'avemaria, e... Come, lui? Ma sì, pas-   10
sato, c'era poco da dire. Per l'avemaria? Come cre-
derlo? Gli era venuto di recitarla così, all'improvviso, come una feminuccia...

La carrozza, intanto, continuava a salire verso
Richieri; e Bobbio, *intronato*, avvilito, non aveva   15
pensato di dire al vetturino di ritornare indietro, alla
villa.

Una pungente vergogna di riconoscere, prima di
tutto, il fatto che lui, come una feminuccia, aveva
potuto recitare l'avemaria, e che poi, veramente,   20
dopo l'avemaria il mal di denti gli era passato, lo
irritava e lo sconcertava; e poi il rimorso di riconoscere anche, nello stesso tempo, che si mostrava
ingrato non credendo, non potendo credere, che si
fosse liberato dal male per quella preghiera, ora che   25
aveva ottenuto la grazia; e infine un segreto timore
che, per questa ingratitudine, subito il male lo
potesse riassalire.

Ma che! Il male non lo aveva riassalito. E, rien-
trando nella villa, leggero come una piuma, ridente,   30

| *intronato*, istupidito

63

esultante, a tutti i convitati, che gli erano corsi
incontro, Bobbio aveva annunziato:

- Niente! Mi è passato tutt'a un tratto, da sé, lungo lo stradone, poco dopo il tabernacolo della
5 Madonna delle Grazie. Da sé!

Bene, a questo suo caso singolarissimo di parecchi anni fa pensava Bobbio con un risolino scettico a fior di labbra, un dopopranzo, steso sulla greppina dello studio, col primo volume degli *Essais* di Montaigne aperto innanzi agli occhi.

Leggeva il capitolo XXVII, dove si dimostra che *c'est folie de rapporter le vray et le faux à notre suffisance.*

Era, non stante quel risolino scettico, alquanto inquieto e, leggendo, si passava di tratto in tratto una mano su la guancia destra.

Montaigne diceva:

«*Quand nous lisons dans Bouchet les miracles des reliques de sainct Hilaire, passe; son credit n'est pas assez grand pour nous oster la licence d'y contredire; mais de condamner d'un train toutes pareilles histoires me semble singuliere imprudence. Ce grand sainct Augustin tesmoigne...*»

- Eh già! - fece Bobbio a questo punto, accentuando il risolino. - Eh già! *Ce grand sainct Augustin* attesta, o diciamo, autentica d'aver veduto, su le *reliquie* di San Gervaso e Protaso a Milano, un fanciullo cieco riacquistare la vista; una donna a Cartagine, guarire d'un cancro col segno della croce fattovi sopra da una donna battezzata di recente... Ma allo stesso modo il gran Sant'Agostino avrebbe potuto affermare, o diciamo, autenticare su la mia testimonianza, che Marco Saverio Bobbio, notaio a Richieri tra i più stimati, guarì una volta all'improvviso d'un feroce mal di denti, recitando un'avemaria.... Bobbio chiuse gli occhi, mise la bocca ad o, come fanno le scimmie, e mandò fuori un po' d'aria.

| reliquie, quello che resta del corpo di un santo

- Fiato cattivo!

Strinse le labbra e, piegando la testa da un lato, sempre con gli occhi chiusi, si passò di nuovo, più forte, la mano sulla mandibola.

5 Perdio, il dente! O non gli faceva male di nuovo, il dente? E forte, anche, gli faceva male. Perdio, di nuovo.

Sbuffò; si alzò faticosamente; buttò il libro sulla greppina, e si mise a passeggiare per la stanza con
10 la mano su la guancia e la fronte contratta e il naso ansante. Andò davanti allo specchio della mensola; si cacciò un dito a un angolo della bocca e la aprì grande per guardarvi dentro il dente cariato. All'impressione dell'aria, sentì una fitta più acuta di dolo-
15 re, e subito chiuse le labbra strette e contrasse tutto il volto per il dolore; poi alzò il volto al soffitto e scosse i pugni, esasperato.

Ma sapeva per esperienza che, ad avvilirsi sotto il male o ad arrabbiarsi, avrebbe fatto peggio. Si
20 sforzò dunque di dominarsi; andò a buttarsi di nuovo sulla greppina e vi rimase un pezzo con le palpebre semichiuse, quasi a covar lo spasimo; poi le riaprì; riprese il libro e la lettura.

«...*une lemme nouvellement baptisée lui fit,*
25 *Hesperius...* no, appresso... Ah, ecco... *une femme en une procession ayant touché à la chasse sainct Estienne d'un bouquet, et de ce bouquet s'estant frottée les yeux, avoir recouvré la veuë qu'elle avoit pieça perdue...*»

30 Bobbio *ghignò.* Il ghigno gli si contorse subito in

---

ghignare, ridacchiare
smorfia, boccaccia

66

una *smorfia*, per un tiramento improvviso del dolore, ed egli vi applicò la mano sì, forte, a pugno chiuso. Il ghigno era di sfida.

- E allora, - disse, - vediamo un po': Montaigne e Sant'Agostino mi siano testimonii. Vediamo un po' se mi passa ora, come mi passò allora.

Chiuse gli occhi e, col sorriso frigido su le labbra tremanti per lo spasimo interno, recitò pian piano, con stento, cercando le parole, l'avemaria, questa volta in latino... *gratia piena... Dominus tecum... fructus ventris tui... nunc et in hora mortis...* Riaprì gli occhi. *Amen...* Attese un po', interrogando in bocca il dente... *Amen...*

Ma che! Non gli passava. Gli si faceva anzi più forte... Ecco, ahi ahi... più forte... più forte...

- Oh Maria! oh Maria!

E Bobbio rimase sbalordito. Quest'ultima, ripetuta invocazione non era stata sua; gli era uscita dalle labbra con voce non sua, con passione non sua. E già... ecco... una sosta... un refrigerio... Possibile? Di nuovo?... Ma che, no! Ahi ahi... ahi ahi...

- Al diavolo Montaigne! Sant'Agostino!

E Bobbio si mise tutta la tuba in testa e, aggrondato, feroce, con la mano su la guancia, si precipitò in cerca d'un dentista.

Recitò o non recitò, durante il tragitto, senza saperlo, di nuovo, l'avemaria? Forse sì... forse no... Il fatto è che, davanti alla porta del dentista, si fermò di botto, più che mai sudato, con gocce di sudore per tutto il faccione, in tale buffo atteggiamento di balorda sospensione, che un amico lo chiamò:

- Signor notaio!

- Ohé...

- E che fa lì?

- Io? Niente... avevo un... un dente che mi faceva male..

- Le è passato?

5 - Già... da sé...

- E lo dice così? Sia lodato Dio!

Bobbio lo guardò con una decisione da cane idrofobo.

- *Un corno*! - gridò. - Che lodato Dio! Vi dico, da 10 sé! Ma perché vi dico così, vedrete che forse, di qui a un momento, mi ritornerà! Ma sapete che faccio? Non mi fa più male; ma me lo faccio strappare lo stesso! Tutti me li faccio strappare, a uno a uno, tutti, ora stesso me li faccio strappare. Non voglio di 15 questi scherzi... non voglio più di questi scherzi, io! Tutti, a uno a uno, me li faccio strappare! E si cacciò, furibondo, tra le risa di quell'amico, nel portoncino del dentista.

Il signore della nave

Giuro che non ho voluto offendere il signor Lavac- 20 cara né una volta né due, come in paese si va dicendo.

Il signor Lavaccara mi volle parlare d'un suo porco per convincermi ch'era una bestia intelligente.

Io allora gli domandai:

25 - Scusi, è magro?

Ed ecco che il signor Lavaccara mi guardò una prima volta come se con questa domanda avessi volu-

---

un corno! per niente!

68

to offendere non proprio lui ma quella sua bestia.

Mi rispose:

- Magro? Peserà più d'un *quintale*!

E io allora gli dissi:

- Scusi, e le pare che possa essere intelligente?   5

Del porco si parlava. Il signor Lavaccara, con tutta quella rosea carne che gli tremava addosso, credette che, dopo il porco, io ora volessi offendere lui, come se in genere avessi detto che la grassezza esclude l'intelligenza. Ma del porco, ripeto, si parlava. Non doveva dunque farsi così brutto il signor Lavaccara né domandarmi: 10

- Ma allora io, secondo lei?

M'affrettai a rispondergli:

- O che c'entra lei, caro signor Lavaccara? È forse un porco lei? Mi scusi. Quando lei mangia col bello appetito che Dio lo conservi sempre, per chi mangia lei? Mangia per sé, non ingrassa mica per gli altri. Il porco, invece, crede di mangiare per sé e ingrassa per gli altri.   15   20

Mica rise. Niente. Mi restò lì piantato e duro davanti, più brutto di prima. E io allora, per smuoverlo, aggiunsi con premura:

- *Poniamo*, poniamo, caro signor Lavaccara, che lei con la sua bella intelligenza fosse un porco, mi scusi. Mangerebbe lei? Io no. Vedendomi portare da mangiare, io *grugnirei*, inorridito: 25

«Nix! Ringrazio, signori. Mangiatemi magro!».

Un porco che sia grasso vuol dire che questo anco-

---

quintale, 100.000 gr
poniamo, facciamo finta, consideriamo il caso
grugnire, il verso del maiale

ra non l'ha capito; e se non ha capito questo, può mai essere intelligente? Perciò le ho domandato se il suo era magro. Lei m'ha risposto che pesa più d'un quintale; e allora mi scusi, caro signor Lavac-

5   cara, sarà un bel porco il suo, non dico, ma non è certo un porco intelligente.

Spiegazione più chiara di questa mi sembra che non avrei potuto dare al signor Lavaccara. Ma non è servita a nulla. Anzi è certo che ho fatto peggio; me

10 ne sono accorto parlando. Più mi sforzavo di render chiara la spiegazione e più il signor Lavaccara si scuriva in viso, masticando:

- Già... già...

Perché certo gli è sembrato che io, facendo

15 ragionare quella sua bestia come un uomo, o meglio, pretendendo che quella sua bestia ragionasse come un uomo, non intendessi mica parlare della bestia, ma di lui.

È così. So difatti che il signor Lavaccara va rac-

20 contando in giro il mio discorso per dimostrarne la superficialità agli occhi di tutti, in modo che tutti gli dicano che quel mio discorso non ha senso, perché la bestia crede di mangiare per sé e non può sapere che gli altri la fanno ingrassare per conto loro; e se

25 un porco è nato porco che può farci? Deve mangiare per forza come fa un porco, e dire che non dovrebbe e dovrebbe rifiutare il pasto per farsi mangiar magro è una sciocchezza, perché un'idea simile non può mai venire in mente a un porco.

30 Siamo perfettamente d'accordo. *Ma se me l'ha cantato* lui, santo Dio, il signor Lavaccara, lui *in tut-*

me l'ha cantato in tutti i toni, me lo ha ripetuto in tutti i modi

70

ti i toni, che a quella sua bestia le mancava solo la parola! Io gli ho voluto dimostrare appunto che non poteva averla e non l'aveva per sua fortuna questa famosa intelligenza umana; perché un uomo sì, può permetterselo il lusso di mangiare come un porco, 5 sapendo che alla fine, ingrassando, non sarà *scannato*; ma un porco no, no e no. Perdio, mi sembra così chiaro!

Offendere? Ma che offendere! io ho voluto anzi difendere contro sé stesso il signor Lavaccara e con- 10 servargli intero il mio rispetto e levargli fin l'ombra del rimorso d'aver venduto quella sua bestia perché fosse scannata alla festa del Signore della Nave. Se no, alle corte: m'arrabbio sul serio e dico al signor Lavaccara che, o il suo porco era un porco qualun- 15 que e non aveva questa famosa intelligenza umana che lui va dicendo, o il vero porco è lui, il signor Lavaccara; e ora lo offendo per davvero.

Questione di logica, signori. E poi qui è in ballo la dignità umana che mi preme salvare ad ogni 20 costo, e non potrei salvarla se non a patto di convincere il signor Lavaccara e tutti quelli che gli danno ragione, che i porci grassi non possono essere intelligenti, perché se questi porci parlano tra sé come il signor Lavaccara pretende e va dicendo, 25 non essi, ma la dignità umana appunto sarebbe scannata in questa festa del Signore della Nave.

Veramente non so che relazione ci sia tra il Signore della Nave e la scanna dei porci che si inizia di solito il giorno della sua festa. Penso che, siccome d'e- 30

---

scannato, ucciso

71

state la carne di queste bestie è *nociva*, tanto che è vietata la macellazione, e con l'autunno il tempo comincia a rinfrescare, si colga l'occasione della festa del Signore della Nave, che cade appunto in
5 settembre, per festeggiare anche, come si dice, le nozze di quell'animale. In campagna, perché il Signore della Nave si festeggia nell'antica chiesetta normanna di San Nicola, che sorge un buon tratto fuori del paese, a una svolta dello stradone, tra i
10 campi.

Ci dev'essere, se si chiama così questo Signore, qualche storia o leggenda ch'io non so. Ma certo è un Cristo che, chi lo fece, più Cristo di così non lo poteva fare; lavorò a questa statua con una tale fero-
15 cia, che nei duri *stinchi* inchiodati su la rozza croce nera, nelle costole che gli si possono contare tutte a una a una, non gli lasciò nemmeno un pezzo di carne che non fosse atrocemente martoriato. Saranno stati i giudei sulla carne viva di Cristo; ma qui fu lui,
20 lo scultore. Quando però si dice, esser Cristo e amare l'umanità! Questo Signore della Nave, pur trattato così, fa miracoli senza fine, come si può vedere dalle cento e cento offerte di cera e d'argento e dalle tabelle votive che riempiono tutta una parete del-
25 la chiesetta.

Basta. Io intanto con la discussione su l'intelligenza e la grassezza del porco e il vergognosissimo malinteso a cui questa discussione ha dato luogo, ho perduto l'invito del signor Lavaccara alla festa.
30 Non mi dispiace tanto per non aver avuto il pia-

---

nocivo, pericoloso per l'uomo
stinco, vedi illustrazione a pagina 91

cere di partecipare alla festa, quanto per lo sforzo che ho dovuto fare, assistendo solo da curioso alla festa, per conservare il rispetto a tante brave persone e salvare, come ho detto, la dignità umana.

Dico la verità. Dati i miei sani principi, non credevo che fosse tanto difficile. Ma alla fine, con l'aiuto di Dio, ci sono riuscito.

Quando, la mattina, tra la polvere dello stradone ho visto i *branchi* e branchetti di tutti quei porcelloni che si avviavano ballonzolanti e grugnendo al luogo della festa, ho voluto guardarli apposta uno a uno attentamente.

Bestie intelligenti, quelle? Ma via! Con quel muso lì? Con quelle orecchie? Con quel buffo cosino arricciolato dietro? E grugnirebbero così, se fossero intelligenti? Ma se è la voce della stessa *ingordigia*, quel loro grugnito! Ma se andavano cercando da mangiare persino nella polvere dello stradone! Fino all'ultimo, senza il minimo sospetto che tra poco sarebbero stati scannati. Si fidavano dell'uomo? Ma grazie tante di questa fiducia! Come se l'uomo, da che mondo è mondo e ha pratica coi porci, non avesse sempre dimostrato al porco di appetirne la carne; e ch'esso perciò non deve affatto fidarsi di lui! Perdio, se l'uomo arriva finanche ad assaggiargli addosso, da vivo, le orecchie e il codino! Meglio di così? Che se poi vogliamo chiamar fiducia la stupidità, siamo logici in nome di Dio, e non diciamo che i porci sono bestie intelligenti.

branco, gruppo di animali
ingordigia, golosità, grande desiderio di mangiare

Ma scusate perchè l'uomo dovrebbe allevare il porco con tanta cura, fargli da servo, condurselo al pascolo se non lo dovesse mangiare, perché? Nessuno vorrà negare che il porco, finché *campa*, campa bene. Considerando la vita che ha fatto, se poi è scannato deve accontentarsi, perché certo per sé, come porco, la vita non se la meritava.

E passiamo agli uomini, signori miei! Ho voluto osservarli apposta anch'essi a uno a uno, mentre s'avviavano al luogo della festa.

Che altro aspetto, signori miei!

Il dono divino dell'intelligenza traspariva anche dai minimi atti: dal fastidio con cui voltavano la faccia per non prendersi il polverone sollevato dai branchi di quelle bestie, e dal rispetto con cui poi si salutavano l'un l'altro.

Ma l'aver pensato di coprir di *panni* l'oscena nudità del corpo, già questo solo, considerate a quale altezza colloca l'uomo sopra uno schifosissimo porco. Potrà mangiare fino a schiattarne e anche sbrodolarsi tutto, un uomo; ma poi ha questo, che si lava e si veste. E quand'anche li immaginassimo nudi per lo stradone, uomini e donne; cosa impossibile, ma ammettiamola pure; non dico che sarebbe un bel vedere, le vecchie, i panciuti, i non puliti; tuttavia, che differenza, pensate, anche a guardar soltanto alla luce dell'occhio umano, specchio dell'anima, e al dono del sorriso e della parola.

E i pensieri che ciascuno, pur andando alla festa, aveva in mente; forse non del padre o della madre,

---

campare, vivere
panni, vestiti

74

ma di qualche amico o della nipote o dello zio, che lo scorso anno partecipavano anche loro allegri alla festa campestre, bevevano anche loro quella bell'aria aperta, e adesso, sepolti nel buio sottoterra, poverini... Sospiri, rimpianti, e anche qualche rimorso. Ma sì! Non erano tutti lieti quei visi; la promessa del godimento d'una giornata grassa cancellava le rughe delle cure opprimenti e i segni delle fatiche e delle sofferenze sulla fronte di tanti magri.

E poi pensavo a tutte le arti, a tutti i mestieri a cui quegli uomini si dedicavano con tanto studio, con tanta fatica e tanti rischi, cose che i porci certamente non conoscono. Perché un porco è porco e basta; ma un uomo, no, signori, potrà anche esser porco, non dico, ma porco e medico, per esempio, porco e avvocato, porco e professore di belle lettere e filosofia, e notaio e cancelliere e orologiaio e *fabbro*... Tutti i lavori, i dolori, le cure dell'umanità vedevo con soddisfazione rappresentati in quella folla che procedeva per lo stradone.

A un certo punto, il signor Lavaccara, reggendo per mano, uno di qua, uno di là, i due figliuoli più piccoli, m'è passato davanti, con la moglie dietro, rosea e prosperosa come lui, tra le due figliuole maggiori. Tutt'e sei hanno fatto finta di non vedermi; ma le due figliuole sono tutte arrossite e uno dei bambini, dopo pochi passi, s'è voltato tre volte a *sbirciarmi*. La terza volta, così per ridere, io ho uscito la lingua e l'ho salutato di nascosto con la mano; s'è fatto serio serio, con un viso lungo lungo distrat-

fabbro, chi lavora con il ferro
sbirciarmi, guardarmi di nascosto

to e s'è subito messo a guardare altrove.

Mangerà il porco anche lui, povero piccolo; forse ne mangerà troppo; ma speriamo che non gli faccia male. Quand'anche però gli dovesse far male, esiste
5   sempre la prudenza umana. Andate a cercarla nei porci, la prudenza; trovatemi un porco farmacista che prepari con l'alchermes l'olio di ricino per i porcellini che si siano guastati lo stomaco per intemperanza!

10   Ho seguito da lontano, per un buon tratto, la cara famigliuola del signor Lavaccara che si avviava sicuramente incontro a un solennissimo mal di stomaco; ma ecco che mi sono potuto consolare pensando che domani troverà da un farmacista la *purghet-*
15   *ta* che li guarirà.

Quante baracche improvvisate con grandi lenzuola palpitanti, nello spiazzo davanti la chiesa di San Nicola, attraversato dallo stradone!

Taverne all'aperto; tavole, tavole e panche; cara-
20   telli e barili di vino; fornelli portatili; banchi e ceppi di macellai.

Un velo di fumo grasso misto alla polvere annebbiava lo spettacolo rumoroso della festa; ma pareva che non tanto il fumo, quanto la confusione e il
25   chiasso impedisse di vedere chiaramente.

Non erano però grida di gioia, di festa, ma grida strappate dalla violenza d'un ferocissimo dolore. Oh sensibilità umana! I venditori ambulanti, gridando la loro merce; i tavernai, invitando alle loro men-
30   se apparecchiate; i macellai, ai loro banchi di ven-

| *purghetta*, la purga, il lassativo

dita, intonavano il bando, senza forse saperlo, sulle grida terribili dei porci che là stesso, in mezzo alla folla, erano macellati, sparati, scorticati, squartati. E le campane della gentile chiesina, suonando all'impazzata, senza sosta, aiutavano le voci umane a 5 coprire pietosamente quelle grida.

Voi dite: ma perché almeno non macellavano lontano dalla folla tutti quei porci? E io vi rispondo: ma perché la festa allora avrebbe perduto uno dei suoi caratteri tradizionali, forse il suo primitivo 10 carattere sacro, di sacrificio.

Voi non pensate al sentimento religioso, signori.

Ho visto tanti impallidire, coprirsi con le mani gli orecchi, torcere il viso per non vedere il macello del porco tenuto violentemente da otto braccia sangui- 15 nose smanicate; e per dir la verità, ho torto il viso anch'io, ma lamentando dentro di me amaramente che l'uomo a mano a mano, col progredire della civiltà, si fa sempre più debole, perde sempre più, pur cercando d'acquistarlo meglio, il sentimento 20 religioso. Continua, sì, a mangiarsi il porco; volentieri assiste alla manifattura delle salsicce, alla lavatura della corata, al taglio netto del fegato lucido compatto tremolante; ma torce poi il viso all'atto del sacrificio. 25

Ho rivisto sul tardi il signor Lavaccara, sudato e stravolto, senza giacca, con in mano un gran piatto bislungo, avviarsi, seguito dai due piccini, al banco del macellaio al quale aveva venduta quella sua bestia intelligente. Andava a riceverne - patto della 30 vendita - la testa e tutto il fegato.

Anche questa volta, ma con più ragione, il signor Lavaccara ha finto di non vedermi. Uno dei due

bambini piangeva; ma voglio credere che non piangesse per la prossima vista della pallida testa insanguinata della cara grossa bestia carezzata per circa due anni nel cortile della casa. La contemplerà il
5 padre quella testa dalle larghe orecchie abbattute, dagli occhi gravemente socchiusi tra i peli, per lodarne forse, con rimpianto ancora una volta, l'intelligenza, e per questa maledetta idea si guasterà il piacere di mangiarsela.
10 Ah mi avesse invitato a tavola con lui! Mi sarei risparmiato certamente la grande fatica di vedere, io solo a digiuno, io solo con gli occhi non offuscati dai vapori del vino, tutta quella umanità, degna di tanta considerazione e di tanto rispetto, ridursi a
15 poco a poco in uno stato misero, senza più neppure un'ombra di coscienza, senza la più lontana memoria delle innumerevoli benemerenze che in tanti secoli ha saputo acquistarsi sopra le altre bestie della terra con le sue fatiche e con le sue virtù.
20 Scamiciati gli uomini, disordinate le donne; teste ciondolanti, facce paonazze, occhi imbambolati, danze folli tra tavole capovolte, panche rovesciate, canti sguaiati, *falò*, spari di *mortaretti*, urla di bimbi, risa sgangherate.
25 Sotto le nubi divenute a mano a mano più scure e fumose, ho visto poco dopo tutta quella folla ubriaca raccogliersi tra spinte e urtoni, al richiamo delle campane sante, e mettersi in processione dietro a quel terribile Cristo flagellato sulla croce nera,
30 uscito fuori dalla chiesa, sorretto da un chierico

falò, grande fuoco acceso all'aperto
mortaretti, botti

pallido e seguito da alcuni preti digiuni, col càmice e la stola.

Due porcelloni, per loro grande fortuna salvati dal macello, sdraiati ai piedi d'un fico, vedendo passare quella processione, m'è parso si guardassero tra loro come per dirsi: 5

- Ecco, fratello, vedi? e poi dicono che i porci siamo noi.

Mi sentii fino all'anima ferire da quello sguardo, e fissai anch'io la folla ubriaca che mi passava 10 davanti. Ma no, no, ecco - oh consolazione! - vidi che piangeva, piangeva tutta quella folla ubriaca, singhiozzava, si dava pugni sul petto, si strappava i capelli scombinati, camminando dietro a quel Cristo flagellato. S'era mangiato il porco, sì, s'era ubria- 15 cata, è vero, ma ora piangeva disperatamente dietro a quel suo Cristo, l'umanità.

- Morire scannate è niente, o stupidissime bestie! - io allora esclamai, trionfante. - Voi, o porci, la passate grassa e in pace la vostra vita, finché vi dura. 20 Guardate la vita degli uomini adesso! Si sono comportati come bestie, si sono ubriacati, ed eccoli qua che piangono ora inconsolabilmente, dietro a questo loro Cristo sanguinante sulla croce nera! Eccoli qua che piangono il porco che si sono mangiato! E 25 volete una tragedia più tragedia di questa?

Un invito a tavola

- Basterà? non basterà? - si domandavano, guardandosi negli occhi, in cucina, le tre sorelle Santa, Lisa e Angelica Borgianni, impegnate da due giorni a preparare un pranzo da gran signori.

Santa, la minore, era più alta di Angelica; Angelica, di Lisa, la maggiore. Tutt'e tre, del resto, con un gran seno e con i fianchi larghi, gareggiavano coi
5   fratelli per la statura colossale e per la forza erculea.
- Famiglia Borgianni: otto colonne! – diceva sempre Mauro, il minore dei fratelli e dell'intera famiglia. Tre sorelle, dunque, e cinque fratelli: Rosario, Nicola, Titta, Luca e Mauro, in ordine di età.

10 Rosario e Nicola si occupavano della campagna, Titta badava alla *zolfara* presso il borgo Aragona; Luca faceva l'*appaltatore* dei lavori pubblici di quasi tutto il circondario; Mauro aveva la passione della caccia, e faceva il cacciatore.

15 Rosario Borgianni era famoso per essere stato da giovane forte e violento come una bestia feroce. Si raccontavano di lui le più spericolate avventure ai tempi orribili del brigantaggio, naturalmente ingrandite e abbellite dalla fantasia popolare. Si diceva
20 persino ch'egli avesse un giorno combattuto con una dozzina di briganti, fra i più sanguinari, e che li avesse uccisi tutti. Esagerazione! Quattro soltanto: due, nella sua stessa campagna, e gli altri due lungo la via che da Comitini discende ad Aragona.

25 Anche di Mauro se ne raccontavano di belle. Un giorno, per esempio, a caccia, cadde dalla vetta del Monte delle Forche: rimbalzò tre volte, giù per tre fossi, e ogni volta, rimbalzando con il fucile alto in una mano, esclamava:
30 - Fortuna, che sono ballerino!

zolfara, miniera di zolfo
appaltatore, imprenditore

Si ruppe però la gamba destra e battè la testa, proprio lui a cui il cervello veramente non aveva avuto mai funzionato bene.

Un'altra volta, a caccia, vide tre o quattro *storni* sulla schiena di alcuni buoi che pascolavano su una costa. Si abbassa piano piano, s'avvicina e bum! un colpo di fucile. Balza dal cespuglio, in potere di tutti i diavoli, il *boaro*.

- Fermo lì! - gli grida Mauro, in guardia. - Se fai un altro passo, ti mando a gambe all'aria!

- Ma come, signor Mauro! Le mie bestie...

- E non sai, *minchione*, che dove vedo caccia, sparo?

- Ma anche sulla schiena delle bestie?

- Anche sulla testa di Gesù Bambino, se scambio lo Spirito Santo per un piccione!

Il pranzo pareva apparecchiato per trenta invitati, a dir poco; l'invitato invece era uno solo, e neppure si sapeva chi fosse. Si sapeva soltanto che sarebbe arrivato il giorno dopo da Comitini, e che questo pranzo serviva come ringraziamento per l'ospitalità data al fratello Luca, l'appaltatore, *latitante* da quindici giorni.

Omicidio? Sì... cioè, no: ma quasi. Ecco: Luca Borgianni aveva preso in appalto la costruzione dello stradone tra Favara e Naro. Una sera, sospesi i lavori, mentre tornava a cavallo, a un certo punto della via aveva visto un'ombra allungarsi minacciosa sulla ghiaia illuminata dalla luna. Qualcuno, sen-

---

storno, un tipo di uccello
boaro, la persona che si occupa dei buoi
minchione, stupido
latitante, persona che si nasconde dalla legge

za dubbio, stava lì incappucciato. Luca lo aveva visto, per fortuna; o meglio, aveva visto il cappuccio. Gli era sembrato che il furfante se ne stesse accoccolato per ripararsi dalla luna che veniva len-
5 tamente su dal colle.

- Chi è là?

Nessuna risposta.

Tra-tà; tra-tà: su, per precauzione, la canna del fucile. E un grillo s'era messo a cantare.

10 Allora Luca, di nuovo, fermando il cavallo.

- Chi è là?

Silenzio. Solo il grillo a cantare.

- Conto fino a tre! - aveva gridato infine Luca, impallidendo. - Se non rispondi, fatti la croce. Uno!

15 L'ombra non s'era scomposta.

-Due!

L'ombra, lì, ferma, impassibile. E silenzio. Soltanto il grillo a cantare.

- Tre!

20 E un colpo di fucile. Qualcosa era saltata per aria: e Luca, correva via a cavallo! Era arrivato a casa, che senza fiato. Fratelli e sorelle gli erano accorsi intorno.

- Nascondetemi ! nascondetemi!

25 - Perché? Ferito?

- No... ammazzato...

- Tu? Chi?

- Uno... non so... Col fucile... Nascondetemi!

I fratelli lo avevano portato per il momento giù in
30 cantina. Intanto Mauro era uscito di casa per *appurare* se già in paese si dicesse qualcosa riguardo

appurare, controllare

82

all'omicidio. Rosario e Titta avevano atteso impazienti che Luca, lì in cantina, si fosse rimesso un po' in forze per condurlo fuori, in luogo più sicuro: avevano già pensato al rifugio, presso un loro compare di Comitini, dove Luca si sarebbe recato la notte 5 stessa, cavalcando alla porta del paese. Nicola, armato fino ai denti, era partito per fare un giro attorno al luogo descritto dal fratello e cercar così di sapere di che, di chi si fosse trattato. Luca finalmente s'era potuto mettere in cammino. Il giorno dopo, 10 all'alba, ecco Nicola.

- Ebbene?

- Nulla! Ho trovato soltanto un *ferraiolo* col cappuccio per terra. Certo il ferito s'è trascinato in paese, lasciando il ferraiolo lì, bucherellato in più parti... 15 Luca spara come un Dio! Deve averlo ferito mortalmente, a giudicare dal ferraiolo... Io non capisco: due buchi grossi così nel cappuccio, dunque in testa...!

Eran passati tre giorni in attesa angosciosa. Non si 20 sapeva nulla in paese; né dai paesi vicini si aveva notizia d'alcun ferimento o caso di morte violenta. Dopo sedici giorni, alla fine, s'era venuto a sapere che un contadino, lavorando in quei dintorni, si era servito per attaccapanni d'una pietra lungo lo stra- 25 done; aveva incappucciato la colonnina col ferraiolo, e la sera se n'era tornato in paese. Dimenticandosene Luca aveva sparato contro quella colonnina, scambiandola per un appostato.

Ora il pranzo, ecco, era lì, pronto fin dalla vigilia, 30 sulla lunga tavola in mezzo alla stanza: una pallida

---

ferraiolo, artigiano che lavora il ferro

porchetta coperta di alloro, ripiena di maccheroni, in una teglia da mandare al forno; sette lepri scuoiate con contorno di tordi, uccisi da Mauro; due tacchini pettoruti; abbacchio; trippa e affettata; piedi di
5 bue in gelatina; un gran pesce salsito; un enorme pasticcio; poi un reggimento di fiaschi e frutta in quantità.

- Basterà? Non basterà?

Titta diceva di sì; Mauro di no; e faceva il conto:
10 - Noi, otto e, con l'invitato, nove; il servo e la serva undici. Per grazia di Dio, ognuno di noi mangia per quattro, e... e...

- Non dubitare; l'invitato non soffrirà la fame, - assicurava Titta.

15 Questa conversazione accadeva verso mezzanotte, intorno alla tavola: fratelli e sorelle, tutt'e sette, avevano lasciato il letto pian piano, spinti dal medesimo desiderio di vedere che effetto facesse il pranzo apparecchiato; e così si erano riuniti a uno a uno
20 in camicia, con una candela in mano, come ombre nottambule. Tra Titta e Mauro poco dopo s'accese il *diverbio*. Mauro prese una lepre e minacciò il fratello. Vennero alle mani.

- Mazurka! Mazurka! - esclamò Angelica, udendo
25 per fortuna i mandolini e la chitarra d'una serenata giù per la via.

- La *Notturna*! - esclamò Santa contemporaneamente, battendo le mani e trascinando la sorella a danzare, tutte e due in camicia.

30 Gli altri allora seguirono l'esempio: Lisa si buttò

diverbio, una discussione animata
Notturna, della notte

84

tra le braccia di Titta, Rosario fece coppia con Nicola, e Mauro, rimasto solo, si mise anche lui a ballare con la lepre dalle orecchie svolazzanti, ridendo allegramente.

Nessuno, in un primo momento, fra le strette di mano, gli abbracci e i baci e le domande al fratello Luca (la più alta colonna della famiglia) fece attenzione ad un omicello d'età incerta, coperto da un enorme copricapo che gli sprofondava fin sulla nuca. Il poverino pareva commosso dalle espansioni di affetto di quegli otto colossi, che non avevano un solo sguardo per lui, smarrito, così piccolo che non arrivava neppure (compreso il cappello) alle spalle di Lisa, la più bassa tra le sorelle.
- Oh, aspettate: vi presento don Diego Filìnia, detto Schiribillo, - disse alla fine Luca, ricordandosi di lui. E gli posò una mano sulla spalla, con aria di protezione, sorridendo.

- Dio, com'è piccolo! - esclamarono allora, a coro, scorgendolo, le tre sorelle. - Schiribillo?

- *Complessione*, signore mie... nomignolo... - fece don Diego, togliendosi dal capo il gran cappello e sorridendo con umiltà impacciata.

Tutti lo guardarono con occhi pieni di profonda compassione, così scoperto, senza un capello sul cranio lucido, ovale, protuberante; e non trovarono una parola da dirgli. Oh delusione! Quello lì, l'invitato? E allora... A saperlo prima!

- Perché piange? - domandò Angelica, dopo averlo osservato a lungo, col volto nauseato e pieno di pietà.

- Piange? - fece Luca, voltandosi, abbassandosi, e

complessione, statura, costituzione

guardando in faccia da vicino il minuscolo invitato.

- Non piango, no, - rispose don Diego, che stava per portarsi all'occhio destro un gran fazzoletto di cotone a fiori. - Nel venire, mi s'è cacciato un *bru-*
5 *scolo* in quest'occhio qua... Non piango.

- Ah... - esclamarono, rassicurati, i colossi. Don Diego dagli occhi si portò il fazzoletto al naso lievemente, come per asciugarsi velocemente una gocciolina.

10 - Si tolga dalle spalle questo mantello... - gli suggerì Santa.

- No no... per carità, me lo lascino! - si spostò don Diego. - Se, Dio liberi, mi metto a starnutire, sono capace di farne cento di fila... Tengo il mantello
15 sempre con me.

E sospirò: - Sì! - poi: - Sì... sì... - ancora due volte, imbarazzato dal silenzio sopravvenuto, stropicciandosi continuamente una manina con l'altra e tenendo gli occhi bassi.

20 Nessuno riusciva a parlare, e quella perplessità diveniva di minuto in minuto più penosa.

- Abbiamo davvero l'obbligo, - cominciò a dire finalmente Luca, - di restare grati a don Schiribillo per il gran favore e per le cortesie nei miei riguardi
25 durante il soggiorno in Comitini.

- Noi lo ringraziamo con tutto il cuore! - disse allora Rosario, tendendo una mano all'ospite. - Come si chiama? Schiribillo?

- Prego... no: Filìnia; mi chiamo Filìnia, - fece don
30 Diego, sorridendo umilmente.

- Fate conto che la nostra casa sia vostra, - aggiun-

---

bruscolo, granello di polvere

se Nicola, stringendo a sua volta la mano all'invitato e guardando gli altri fratelli come per dire: «Adesso a voi; io ho detto la mia ».

Titta e Mauro, uno dopo l'altro, seguirono l'esempio e dissero la loro avanzandosi d'un passo, militarmente, e stringendo dopo il complimento la mano a don Diego, il quale non seppe allontanarsi da quel suo: « Prego, prego » in risposta.

Non fu possibile far uscire una parola di bocca alle tre sorelle deluse.

Si parlò dell'avvenimento per cui Luca si era reso latitante.

- Ma che colonnina! - esclamò questi indignato. Uomo in carne e ossa era, là, appostato! Al colpo di fucile ho sentito un grido, io, con questi orecchi... Vorrei saper piuttosto chi sia il buffone che ha messo in giro la storiella. Gli farei vedere se è lecito ridere alle spalle di Luca Borgianni!

- Basta, basta... - disse Rosario. - Chi sia, l'ha detto. Adesso non se ne parli più. Pensiamo per oggi a divertirci.

Don Diego approvò col capo, non perché si immaginava di divertirsi, poverino, tra quegli otto giganti; ma per non litigare. Non si sa mai!

Attendendo la chiamata a tavola, Rosario e Nicola cominciarono a discutere con l'invitato delle cose della campagna, delle cattive annate e delle buone. Don Diego, con l'umiltà sua, si rimetteva costantemente nelle mani di Dio; ma questa *remissione* a un certo punto *fece uscir dai gangheri* Nicola.

---

remissione, sottomissione, umiltà
fare uscire dai gangheri, fare innervosire

- Ma che mani di Dio! Ci vogliono braccia d'uomini per la terra! Queste qua, guardate, *Schiribillo*! E mostrò a Don Diego, tese e con i pugni chiusi, le erculee braccia, come se lui fosse solito di colpire la terra per costringerla a dargli ogni anno di più.

- E queste qua, anche se sono vecchie e affaticate! - esclamò Rosario, mostrando le sue.

Allora anche Titta e Mauro vollero mostrar le loro, tirando su le maniche della giacca e della camicia. Il povero Don Diego si vide puntate sotto il naso otto braccia nerborute, buone per ammazzare otto buoi.

- Vedo... vedo... - diceva a ognuno, guardando le braccia e sorridendo con una meraviglia mista di costernazione. - Vedo.. vedo...

- Toccate! Toccate! - gl'intimarono i fratelli Borgianni.

E don Diego toccò pian piano con un dito tremante quelle braccia, mentre con l'altra mano si copriva il naso con il fazzoletto per paura che qualche gocciolina non vi cadesse sopra, Dio liberi!

- A tavola, - venne ad annunziare Santa, pigramente.

- Schiribillo, a tavola! - gridò Mauro. - Lasciate fare a noi. Crescerete... Mangerete tanto, che non sarà più possibile uscire dalla porta. Vi caleremo imbracato e sazio da una finestra.

- Ho pochissimo appetito, - premise don Diego, per ogni buon fine.

- Dove prenderà posto l'invitato? - domandò sottovoce Titta alle sorelle.

- Tra Rosario e Lisa, - propose Mauro. Lisa si ribellò:

- Noi tre donne ce ne staremo in disparte.

Don Diego prese posto tra Rosario e Nicola. Gli otto Borgianni, appena seduti a tavola, si riempirono di vino i grossi bicchieri da acqua.

- Per farci la croce! - disse Rosario solennemente. E giù!

- Voi, don Diego, non bevete? - domandò Titta.

- Grazie, prima del pasto, mai, - si scusò l'ospite timidamente.

- Eh via, per aprir l'appetito, - gli suggerì Nicola, dandogli in mano il bicchiere.

Allora don Diego lo accostò alle labbra, per cortesia, e bevve appena appena un sorsellino cauto.

- Giù! Giù fino in fondo! - lo incitarono gli otto Borgianni.

- Non posso... grazie, non posso...

Mauro si levò da sedere:

- Lo faccio ragionare io, aspettate!

Prese con una mano il bicchiere, con l'altra il capo di don Diego e, dicendo: - Lasciatevi servire! - lo versò in bocca al poveretto invano *riluttante*.

- Oh Dio! - singhiozzò, balzando in piedi, don Diego, mezzo affogato, con gli occhi pieni di lagrime. - Oh Dio!

E s'asciugò il sudore della fronte, tra le risa della tavolata.

- Guardate, oh! Gli è uscito dagli occhi! - osservò Angelica, ironicamente.

Venne in tavola la porchetta. Rosario si alzò; tagliò le parti: la più grossa a don Diego.

- Troppa roba... troppa... troppa... - disse questi col piatto in mano.

riluttante, che non vuole

89

- Che troppa! - esclamò Nicola. - Non cominciate!

- La metà, prego... - insistette don Diego. - Non mi è possibile... Io sono *parco*...

- Parco? E questa è carne di porco! Mangiate! - gridò Mauro, alzandosi un'altra volta.

Don Diego, spaventato, chinò la testa sul piatto e si mise a mangiare zitto zitto.

Mangiarono quel primo servito in silenzio, tutti. Solo, di tanto in tanto, appena l'invitato accennava di posar di nascosto la forchetta:

- Mangiate! - gli ripetevano i colossi. - Fino all'ultimo boccone!

- E adesso proprio non mi è più possibile mandar giù dell'altro! - protestò don Diego, con qualche energia, dopo aver finito la porzione, traendo un gran sospiro di sollievo. - Ho fatto, come si dice di solito, quanto Carlo in Francia.

- Che dite? - replicò Mauro. - Se abbiamo cominciato appena adesso...

- Eh, loro, va bene... - osservò, sorridendo, don Diego. - Hanno la capacità, Dio li benedica... Io dico per me...

- E per chi ci prendete? - domandò Titta, arrabbiato. - Credete che noi invitiamo a tavola per un sol piatto e lì? Attendete a mangiare e fate l'obbligo vostro. Noi dobbiamo disobbligarci.

- Ma non faccio offesa, - s'affrettò a scusarsi don Diego. - Dico che io...

- Voi mangerete! - tagliò corto Rosario. - Ecco la caccia di Mauro.

- Una lepre e cinque tordi? - esclamò atterrito don

---

parco, equilibrato, misurato nel fare qualcosa

90

Diego. - Lei sbaglia, signor mio! Abbia pazienza:
può immaginarsi che io...

- Senza storie! Senza storie! - disse Nicola, con
fare sbrigativo.

- Ma mi guardino un po', - rispose don Diego. - È 5
possibile? Dove la metto? Non vorranno mica che *ci
lasci la pelle*...

- Quale pelle? - domandò Rosario. - Non dovete
lasciarci nulla. La lepre è scuoiata.

- Dico la mia, dico la mia! Dove la metto una 10
lepre?

- Vi ho dato pure cinque tordi...

- Per giunta! Ci avessi la lupa... Mangerò questi
soltanto.

- Orsù! – lo interruppe Mauro, con 15
in mano un'*anca* di lepre. - Codesta
caccia l'ho fatta io. Mi sono rotte le
gambe per voi, tre giorni di seguito. Se
non mangiate tutto, sarà un'offesa
diretta a me personalmente. 20

- Non si alteri... non si alteri, per
carità! Mi proverò...

E, tra sé e sé, il povero don Diego
raccomandò l'anima a Dio misericor-
dioso. 25

Mangiando, i sudori cominciavano a colargli dalla fronte. Alzava un po' gli occhi: vedeva quegli otto
demoni scappati dall'inferno non finir mai di bere
vino, vino, vino. E:

- Cristo, aiutami! - si lamentava piano, tra sé. 30
Il pranzo non finiva mai. Don Diego avrebbe voluto

anca

stinco

lasciarci la pelle, morire

91

piangere, rotolarsi per terra, dalla disperazione, graffiarsi la faccia, slogarsi la bocca, dalla rabbia. Che crudeltà era quella? Neroni! Neroni! Ma non aveva più forza neppure di scostare il piatto: posate, bicchieri, bottiglie gli turbinavano davanti agli occhi sulla tavola, e gli orecchi gli rombavano, le palpebre gli si chiudevano sole; mentre gli otto Borgianni, già ubriachi, urlavano, gesticolavano come *energumeni*, or levandosi, or sedendosi e ingiuriandosi a vicenda.

Adesso, se don Diego scostava un po' il piatto, dicendo come a se stesso: - Non ne voglio più... non ne voglio più... - gli otto giganti si alzavano, coi coltelli da tavola in pugno, e i due più vicini, minacciandolo alla gola, urlavano:

- Mangiate, don Minchione! Per voi è stata fatta la spesa!

mannaia

mola d'arrotino

Don Diego non era più di questa terra, quando tra le palpebre semichiuse gli parve di scorgere su la tavola come una gran *mola d'arrotino*. Fece allora un vano tentativo di levarsi, di fuggire.

- Oh Dio, m'hanno legato alla seggiola! - gemette, e si mise a piangere.

Non era vero: gli pareva così, povero don Diego!

energumeno, persona violenta senza controllo

Rosario si alzò quant'era lungo col coltello in mano. Parve a don Diego che toccasse col capo il soffitto e che avesse in pugno una *mannaia* per giustiziarlo.

- Metà a don Diego! - gridò Rosario, tagliando a mezzo l'enorme pasticcio, che al poveretto era sembrato una mola d'arrotino. 5

- L'altra metà al vicinato! - propose Angelica.

- E noi? - domandò Mauro. - Noi niente? Io voglio la mia parte!

Luca sorse in favore della proposta di Angelica. 10

- Al vicinato! al vicinato!

Don Diego pendeva da quella lite, stupito.

- E allora io, per prepotenza, mi prendo la mia! - proruppe Mauro, levandosi e stendendo la mano sul pasticcio. 15

Ma Luca fu più svelto: prese il pasticcio e, inseguito dalla famiglia, tra le grida, gli strappi, gli spintoni, andò a buttarlo da una finestra. Seguì una rissa furibonda: fratelli e sorelle s'accapigliarono: strilli, pugni, schiaffi, sgraffi, seggiole rovesciate, botti- 20 glie, bicchieri, piatti in frantumi, il vino sparso su la tovaglia; un pandemonio! Rosario salì in piedi su una seggiola; gridò con poderosa voce:

- Vergogna! Che spettacolo! Abbiamo un invitato a tavola! 25

Al fiero richiamo quei furibondi ristettero a un tratto, come per incanto. Cercarono l'invitato: dov'era? dove s'era cacciato?

Su la seggiola il mantello, sotto la tavola un paio di scarpe. Il disgraziato se l'era *svignata* a piedi scal- 30 zi per correre più spedito.

| *svignarsela*, scappare

- In fin dei conti, è andato tutto bene... - dicevano tra loro poco dopo gli otto Borgianni, rassettati. - Tutto bene, tranne il servito della frutta.

⁵

Pensaci, Giacomino !!!

Da tre giorni il professore Agostino Toti non ha in casa quella pace, quel riso, a cui crede ormai di ¹⁰ aver diritto.

Ha circa settant'anni, e non si potrebbe neanche dire che sia un bel vecchio: piccoletto, con la testa grossa, calva, sen¹⁵za collo, il *torso* sproporzionato su due gambettine da uccello... Sì, sì: il professor Toti lo sa bene, e non si fa la minima illusione, perciò, che Madda²⁰lena, la bella mogliettina, che non ha ancora ventisei anni, lo possa amare per se stesso.

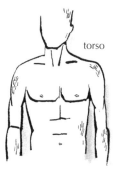

torso

È vero che egli se l'è presa povera e l'ha *inalzata*: figliuola del bidello del liceo, è diventata moglie ²⁵d'un professore ordinario di scienze naturali, tra pochi mesi con diritto al massimo della pensione; non solo, ma ricco anche da due anni per una fortuna impensata, per una vera manna dal cielo: una eredità di quasi duecentomila lire, da parte d'un fra³⁰tello espatriato da tanto tempo in Rumenia e morto celibe là.

inalzata, alzata di livello sociale

94

Non per tutto questo però il professor Toti crede d'aver diritto alla pace e al riso. Egli è filosofo: sa che tutto questo non può bastare a una moglie giovine e bella.

Se l'eredità fosse venuta prima del matrimonio, *5* egli magari avrebbe potuto pretendere da Maddalenina un po' di pazienza, che aspettasse cioè la morte di lui non lontana per rifarsi del sacrificio d'aver sposato un vecchio. Ma sono venute troppo tardi, ahimè! quelle duecentomila lire, due anni dopo il *10* matrimonio, quando già... quando già il professor Toti filosoficamente aveva riconosciuto, che non poteva bastare a compensare il sacrificio della moglie la sola pensioncina ch'egli le avrebbe lasciata un giorno. *15*

Avendo già concesso tutto prima, il professor Toti crede d'aver più che mai ragione di pretendere la pace e il riso ora, con l'aggiunta di quella grande eredità. Soprattutto, poi, perché lui- uomo saggio veramente e dabbene - non si è contentato di bene- *20* ficiar la moglie, ma ha voluto anche beneficiare... sì, lui, il suo buon Giacomino, già tra i più valenti alunni suoi al liceo, giovane timido, onesto, garbatissimo, biondo, bello e ricciuto come un angelo.

Ma sì, ma sì - ha fatto tutto, ha pensato a tutto il *25* vecchio professore Agostino Toti. Giacomino Delisi era *sfaccendato*, e l'*ozio* lo addolorava e lo avviliva; ebbene, lui, il professor Toti, gli ha trovato posto nella Banca Agricola, dove ha collocato le duecentomila lire dell'eredità. *30*

---

sfaccendato, non faceva niente
ozio, il non fare niente

C'è anche un bambino, ora, per casa, un angio-
letto di due anni e mezzo, a cui lui si è dedicato tutto, come uno schiavo innamorato. Ogni giorno, non
vede l'ora che finiscano le lezioni al liceo per cor-
5 rere a casa, a soddisfare tutti i capriccetti del suo
piccolo tiranno. Veramente, dopo l'eredità, lui
avrebbe potuto mettersi a riposo, rinunziando a
quel massimo della pensione, per consacrare tutto il
suo tempo al bambino. Ma no! Sarebbe stato un
10 peccato! Visto che c'è, lui vuol portare fino all'ultimo momento quella sua croce, che è stata sempre
tanto pesante! Si è sposato proprio per questo, proprio per aiutare qualcuno con ciò che per lui è stato un tormento tutta la vita!
15 Sposando con quest'unico intento, di aiutare una
povera giovine, egli ha amato la moglie quasi soltanto come un padre. Soprattutto da quando è nato
quel bambino, da cui quasi quasi gli piacerebbe più
d'esser chiamato nonno, che papà. Questa bugia
20 incosciente sui puri labbruzzi del bambino *ignaro*
gli fa pena. Bisogna pure che si prenda con un bacio
quell'appellativo dalla boccuccia di Ninì, quel
«papà» che fa ridere tutti i maligni, che non sanno
capire la tenerezza sua per quell'innocente, la sua
25 felicità per il bene che ha fatto e che seguita a fare
a una donna, a un buon giovanotto, al piccino, e
anche a sé - sicuro! - anche a sé - la felicità di vivere quegli ultimi anni in lieta e dolce compagnia,
camminando verso la tomba così, con un angiolet-
30 to per mano.
Ridano, ridano pure di lui tutti i maligni! Che risa-

| *ignaro*, che non sa

96

te facili! che risate sciocche! Perché non capiscono... Perché non si mettono al suo posto... Avvertono soltanto il comico, anzi il grottesco, della sua situazione, senza saper penetrare nel suo sentimento!... Ebbene, che glie n'importa? Lui è felice. 5

Se non che, da tre giorni...

Che sarà accaduto? La moglie ha gli occhi gonfi e rossi di pianto; ha un forte mal di testa; non vuole uscir di camera.

- Eh, gioventù!... gioventù!... - sospira il professor 10 Toti, scrollando il capo con un risolino mesto e arguto negli occhi e sulle labbra. - Qualche nuvola... qualche temporaletto...

E con Ninì s'aggira per casa, afflitto, inquieto, anche un po' irritato, perché... via, proprio non si 15 merita questo, lui, dalla moglie e da Giacomino. I giovani non contano i giorni: ne hanno tanti ancora innanzi a sé... Ma per un povero vecchio è grave perdita un giorno! E sono ormai tre, che la moglie lo lascia così per casa e non lo delizia più con quelle 20 ariette e canzoncine cantate con la vocetta limpida e fervida, e non gli dà più quelle cure, a cui lui si è ormai abituato.

Anche Ninì è serio serio, come se capisca che la mamma non ha testa da badare a lui. Il professore 25 se lo porta da una stanza all'altra, e quasi non ha bisogno di chinarsi per dargli la mano, tant'è piccolino anche lui; lo porta innanzi al pianoforte, tocca qua e là qualche tasto, sbuffa, sbadiglia, poi siede, fa galoppare un po' Ninì su le ginocchia, poi torna 30 ad alzarsi: si sente tra le spine. Cinque o sei volte ha tentato di forzar la mogliettina a parlare.

- Male, eh? Ti senti proprio male?

Maddalenina continua a non volergli dir nulla: piange; lo prega di chiudere le persiane del balcone e di portarsi Ninì di là: vuole star sola e al buio.

- La testa, eh?

5   Poverina, le fa tanto male la testa... Eh, la lite dev'essere stata grossa davvero!

Il professor Toti va in cucina e cerca d'*abbordar* la servetta, per avere qualche notizia da lei; ma fa larghi giri di parole, perché sa che la servetta gli è

10 nemica; sparla di lui, fuori, come tutti gli altri, e lo *mette in berlina*, brutta scema! Non riesce a saper nulla neanche da lei.

E allora il professor Toti prende una risoluzione eroica: porta Ninì dalla mamma e la prega che glie-

15 lo vesta per benino.

- Perché? - domanda ella.

- Lo porto a spassino, - risponde lui. - Oggi è festa... Qua s'annoia, povero bimbo!

La mamma non vorrebbe. Sa che la triste gente

20 ride vedendo il vecchio professore col piccino per mano; sa che qualche malvagio insolente è arrivato finanche a dirgli: - Ma quanto gli somiglia, professore, il suo figliuolo!

Il professor Toti però insiste.

25 - No, a spassino, a spassino...

E si reca col bimbo in casa di Giacomino Delisi. Questi abita insieme con una sorella nubile, che gli ha fatto da madre. Ignorando la ragione del benefi- cio, la signorina Agata era prima molto grata al pro-

30 fessor Toti; ora invece - religiosissima com'è - lo

---

abbordare, attaccare discorso
mettere in/alla berlina, prendere in giro

considera un diavolo, né più ne meno, perché ha indotto il suo Giacomino in peccato mortale.

Il professor Toti deve aspettare un bel po', col piccino, dietro la porta, dopo aver suonato il campa-
5 nello. La signorina Agata è venuta a guardar dalla spia ed è scappata. Senza dubbio, è andata ad avvertire il fratello della visita, e ora tornerà a dire che Giacomino non è in casa.

Eccola. Vestita di nero, cerea, con le *occhiaie* livi-
10 de, stecchita, arcigna, appena aperta la porta, investe, tutta vibrante, il professore.

- Ma come... scusi... viene a cercarlo pure in casa adesso?... E che vedo! anche col bambino? ha
15 portato anche il bambino?

Il professor Toti non s'aspetta una simile accoglienza; resta intronato; guarda la signorina Agata, guarda il piccino, sorride, balbetta:

occhiaia

20 - Per... perché?... che è?... non posso... non... posso venire a...

- Non c'è! - s'affretta a rispondere quella, secca e dura. - Giacomino non c'è.

- Va bene, - dice, chinando il capo, il professor
25 Toti. - Ma lei, signorina... mi scusi... Lei mi tratta in un modo che... non so! Io non credo d'aver fatto né a suo fratello, né a lei...

- Ecco, professore, - lo interrompe, un po' rabbonita, la signorina Agata. - Noi, creda pure, le siamo... le siamo riconoscentissimi; ma anche lei
30 dovrebbe comprendere...

100

Il professor Toti socchiude gli occhi, torna a sorridere, alza una mano e poi si tocca parecchie volte con la punta delle dita il petto, per dirle che, *quanto a comprendere, lasci fare a lui.*

- Sono vecchio, signorina, - dice, - e comprendo... tante cose comprendo io! e guardi, prima di tutte, questa: che la rabbia bisogna lasciarla svaporare, e che, quando nascono malintesi, la miglior cosa è chiarire... chiarire, signorina, chiarire francamente, senza sotterfugi, senza riscaldarsi... Non le pare? 5 10

- Certo, sì... - riconosce, almeno così in astratto, la signorina Agata.

- E dunque, - riprende il professor Toti, - mi lasci entrare e mi chiami Giacomino. 15

- Ma se non c'è!

- Vede? No, Non mi deve dire che non c'è. Giacomino è in casa, e lei me lo deve chiamare. Chiariremo tutto con calma... glielo dica: con calma! Io sono vecchio e comprendo tutto, perché sono stato anche giovane, signorina. Con calma, glielo dica. Mi lasci entrare. 20

Introdotto nel modesto salotto, il professor Toti siede con Ninì tra le gambe, rassegnato ad aspettare anche qua un bel pezzo, che la sorella convinca Giacomino. 25

- No, qua Ninì... buono! - dice di tratto in tratto al bimbo, che vorrebbe andare a una mensoletta, dove luccicano certi gingilli di porcellana; e intanto si sforza di pensare che diamine può essere accaduto di così grave in casa sua, senza ch'egli se ne sia 30

| *quanto a comprendere, lasci fare a lui,* abbattersi, demoralizzarsi

accorto per nulla. Maddalenina è così buona! Che male può lei aver fatto, da provocare un così aspro e forte risentimento, qua, anche nella sorella di Giacomino?

5   Il professor Toti, che ha creduto finora a una bizza passeggera, comincia a impensierirsi e a *costernarsi* sul serio.

Oh, ecco Giacomino finalmente! Dio, che viso alterato! che aria disordinata! Eh come? Ah, questo
10 no! Scansa freddamente il bambino che gli è corso incontro gridando con le manine tese:

- «Giamì! Giamì!».

- Giacomino! - esclama, ferito, con severità, il professor Toti.

15 - Che ha da dirmi, professore? - s'affretta a domandargli quello, schivando di guardarlo negli occhi.

- Io sto male... Ero a letto... Non sono in grado di parlare e neanche di sostener la vista d'alcuno...

20 - Ma il bambino?!

- Ecco, - dice Giacomino; e si china a baciare Ninì.

- Ti senti male? - riprende il professor Toti, un po' consolato da quel bacio. - Lo supponevo. E son
25 venuto per questo. La testa, eh? Siedi, siedi... Discorriamo. Qua, Ninì... Senti che «Giamì» ha la bua? Sì, caro, la bua... qua, povero «Giami»... Sta' bonino; ora andiamo via. Volevo domandarti - soggiunge, rivolgendosi a Giacomino, - se il direttore
30 della Banca Agricola ti ha detto qualche cosa.

- No, perché? - fa Giacomino, turbandosi ancor più.

---

costernarsi, preoccuparsi

102

- Perché ieri gli ho parlato di te, - risponde con un risolino misterioso il professor Toti. Il tuo stipendio non è molto grasso, figliuol mio. E sai che una mia parolina...

Giacomino si torce su la sedia, stringe i pugni fino ad affondarsi le unghie nel *palmo* delle mani.

- Professore, io la ringrazio, - dice, - ma mi faccia il favore, la carità, di non incomodarsi più per me, ecco!

palmo

- Ah sì? - risponde il professor Toti con quel risolino ancora su la bocca. - Bravo! Non abbiamo più bisogno di nessuno, eh? Ma se io volessi farlo per mio piacere? Caro mio, ma se non devo più curarmi di te, di chi vuoi che mi curi io? Sono vecchio, Giacomino! E ai vecchi - badiamo, che non siano egoisti! - ai vecchi, che hanno fatto tanta fatica, come me, ad occupare una certa posizione sociale, piace di vedere i giovani, come te meritevoli, farsi avanti nella vita grazie a loro; e godono della loro allegria, delle loro speranze, del posto ch'essi prendono man mano nella società. Io poi per te... via, tu lo sai... ti considero come un figliuolo... Che cos'è? Piangi?

Giacomino ha nascosto infatti il volto tra le mani e sussulta come per un attacco di pianto che vorrebbe frenare.

Ninì lo guarda sbigottito, poi, rivolgendosi al professore, dice:

- «Giamì, bua»...

Il professore si alza e fa per posare una mano su
la spalla di Giacomino; ma questi *balza* in piedi,
quasi ne provi *ribrezzo*, mostra il viso cambiato
5 come per una fiera risoluzione improvvisa, e gli grida esasperatamente:

- Non si avvicini! Professore, se ne vada, la scon-
giuro, se ne vada! Lei mi sta facendo soffrire una
pena d'inferno! Io non merito codesto suo affetto e
10 non lo voglio, non lo voglio... Per carità, se ne vada,
si porti via il bambino e si scordi che io esisto!

Il professor Toti resta sbalordito; domanda:

- Ma perché?

- Glielo dico subito! - risponde Giacomino. - Io
15 sono fidanzato, professore! Ha capito? Sono fidanzato!

Il professor Toti vacilla, come per una mazzata sul
capo; alza le mani; balbetta:

- Tu? fi... fidanzato?

20 - Sissignore, - dice Giacomino. - E dunque,
basta... basta per sempre! Capirà che non posso
più... vederla qui...

- Mi cacci via? - domanda, quasi senza voce, il
professor Toti.

25 - No! - s'affretta a rispondergli Giacomino, dolen-
te. - Ma è bene che lei... che lei se ne vada, professore...

Andarsene? Il professore casca a sedere sulla
sedia. Le gambe gli si sono come stroncate sotto. Si
30 prende la testa tra le mani e piange:

balzare, saltare
ribrezzo, sensazione sgradevole, schifo

- Oh Dio! Ah che rovina! Dunque per questo? Oh povero me! Oh povero me! Ma quando? come? senza dirne nulla? con chi ti sei fidanzato?

- Qua, professore... da un pezzo... - dice Giacomino. - con una povera orfana, come me... amica di mia sorella... 5

Il professor Toti lo guarda, inebetito, con gli occhi spenti, la bocca aperta, e non trova la voce per parlare.

- E... e... e si lascia tutto... così... e... e non si pensa più a... a nulla... non si... non si tien più conto di nulla... 10

- Ma scusi! Che mi voleva schiavo, lei?

- Io, schiavo? - scoppia, ora, con la voce rotta, il professor Toti. - Io? E lo puoi dire? Io che ti ho fatto 15 padrone della mia casa? Ah, questa, questa sì che è vera ingratitudine! E che forse t'ho beneficato per me? Che ne ho avuto io, se non il *dileggio* di tutti gli sciocchi che non sanno capire il sentimento mio? Dunque non lo capisci, non lo hai capito neanche 20 tu, il sentimento di questo povero vecchio, che sta per andarsene e che era tranquillo e contento di lasciar tutto a posto, una famigliuola bene avviata, in buone condizioni... felice? Io ho settant'anni; io domani me ne vado, Giacomino! Che ti sei levato di 25 cervello, figliuolo mio! Io vi lascio tutto, qua... Che vai cercando? Non so ancora, non voglio saper chi sia la tua fidanzata; se l'hai scelta tu, sarà magari un'onesta giovine, perché tu sei buono...; ma pensa che... pensa che... non è possibile che tu abbia tro- 30 vato di meglio. Giacomino, sotto tutti i riguardi...

dileggio, essere criticato negativamente, il prendere in giro

105

Non ti dico soltanto per la ricchezza assicurata...
Ma tu hai già la tua famigliuola, in cui non ci sono
che io solo di più, ancora per poco... io che non
conto per nulla... Che fastidio vi do io? Io sono
come il padre... Io posso anche, se volete... per la
vostra pace... Ma dimmi com'è stato? Che è accaduto? Come ti s'è voltata la testa, così tutt'a un tratto? Dimmelo! dimmelo...

E il professor Toti si avvicina a Giacomino e vuol
prendergli un braccio e scuoterglielo; ma lui si
restringe tutto in sé, quasi rabbrividendo.

- Professore! - grida. - Ma come non capisce,
come non s'accorge che tutta codesta sua bontà...

- Ebbene?

- Mi lasci stare! Non mi faccia dire! Come non
capisce che certe cose si possono far solo di nascosto, e non son più possibili alla luce, con lei che sa,
con tutta la gente che ride?

- Ah, per la gente? - esclama il professore. - E tu...

- Mi lasci stare! - ripete Giacomino, al colmo del-
l'orgasmo, scuotendo in aria le braccia. - Guardi! Ci
sono tant'altri giovani che han bisogno d'aiuto, professore!

Il Toti si sente ferire fin nell'anima da queste parole, che sono un'offesa atroce e ingiusta per sua
moglie; impallidisce e tutto tremante dice:

- Maddalenina è giovane, ma è onesta, perdio! E tu
lo sai! Maddalenina ne può morire... perché è qui, è
qui, il suo male, nel cuore... dove credi che sia? È qui,
è qui, ingrato! Ah, la insulti, per giunta? E non ti ver-
gogni? E non ne senti dispiacere di fronte a me? Puoi
dirmi questo in faccia? tu? Credi che lei possa passare, così, da uno all'altro, come niente? Madre di que-

sto piccino? Ma che dici? Come puoi parlar così?

Giacomino lo guarda trasecolato, *allibito*.

- Io? - dice. - Ma lei piuttosto, professore, scusi, lei, lei, come può parlare così? Ma dice sul serio?

Il professor Toti si stringe entrambe le mani su la bocca, strizza gli occhi, squassa il capo e rompe in un pianto disperato. Ninì anche lui, allora, si mette a piangere. Il professore lo sente, corre a lui, lo abbraccia.

- Ah, povero Ninì mio... ah che sciagura, Ninì mio, che rovina! E che sarà della tua mamma ora? e che sarà di te, Ninì mio, con una mammina come la tua, inesperta, senza guida... Ah, che *baratro*!

Solleva il capo, e, guardando tra le lagrime Giacomino:

- Piango, - dice, - perché mio è il dispiacere; io t'ho protetto, io t'ho accolto in casa, io le ho parlato sempre tanto bene di te, io... io le ho tolto ogni scrupolo d'amarti... e ora che lei ti amava sicura... madre di questo piccino... tu...

S'interrompe e, fiero, risoluto, convulso:

- *Bada*, Giacomino! - dice. - Io son capace di presentarmi con questo piccino per mano in casa della tua fidanzata!

Giacomino, che suda freddo, pur su la brace ardente, nel sentirlo parlare e piangere così, a questa minaccia giunge le mani, gli si fa innanzi e scongiura:

- Professore, professore, ma lei vuol dunque pro-

---

allibito, molto sorpreso
baratro, abisso
badare, fare attenzione

prio coprirsi di ridicolo?

- Di ridicolo? - grida il professore. - E che vuoi che me n'importi, quando vedo la rovina d'una povera donna, la rovina tua, la rovina d'una creatura inno-
5 cente? Vieni, vieni, andiamo, su via, Ninì, andiamo!

Giacomino gli si para davanti:

- Professore, lei non lo farà!

- Io lo farò! - gli grida con viso fermo il professor Toti. - E per impedirti il matrimonio son anche capa-
10 ce di farti cacciare dalla Banca! Ti do tre giorni di tempo.

E, voltandosi sulla porta, col piccino per mano:

- Pensaci, Giacomino! Pensaci!

La Toccatina

Domande:

1. Perché Cristoforo Golisch si sente sconfortato quando incontra Beniamino Lenzi?
2. Quali sono le tre tappe della passeggiata giornaliera di Beniamino?
3. Che cosa dovrebbe fare il medico di Beniamino secondo Cristoforo Golisch?
4. Perché la sorella di Cristoforo Golisch è preoccupata quando anche lui si ammala?
5. Quali sono gli effetti della "toccatina" su Cristoforo Golisch?
6. A chi decidono di fare visita Cristoforo e Beniamino?

Il treno ha fischiato

Domande:

1. Che tipo di malattia ha Belluca secondo i medici?
2. In che condizioni vive Belluca?
3. Di che cosa parla adesso Belluca?
4. Che cosa era successo esattamente a Belluca?

La giara

Domande:

1. Che tipo è Don Lollò Zirafa?
2. Che cosa scoprono i tre contadini alla fine del terzo giorno di abbacchiatura?
3. Come pensano di risolvere la situazione?
4. Che tipo è Zi' Dima Licasi?
5. Qual è il suo segreto?

6. Perché all'inizio Don Lollò e Zi' Dima litigano?
7. Di che cosa si accorge Zi' Dima quando finisce di riparare la giara?
8. Qual è la reazione di Don Lollò?
9. Perché Zi' Dima non vuole più uscire dalla giara?
10. Come finisce la novella?

Niente
Domande:
1. Perché il signore va dal dottor Mangoni di notte?
2. Chi gli apre la porta?
3. Descrivi il laboratorio della farmacia.
4. Perché il dottor Mangoni è tanto affezionato al suo cappello?
5. Chi è il giovane che ha tentato di suicidarsi?
6. Chi abita nella casa dove viveva anche il giovane?
7. Perché non c'è più bisogno del dottor Mangoni?

L'Avemaria di Bobbio
Domande:
1. Che lavoro fa Bobbio? Qual è il suo hobby?
2. Qual è il suo problema?
3. Che cosa succede mentre Bobbio è in carrozza?
4. Che cosa succede la seconda volta che ha mal di denti?

Il signore della nave

Domande:

1. Perché secondo il protagonista il maiale è un animale stupido?
2. Che cosa farebbe il protagonista se fosse un maiale?
3. Che cos'è "Il Signore della nave"? Che cosa fa la gente in questo giorno?
4. In che modo, secondo il protagonista, gli uomini sono creature intelligenti?
5. Che differenza c'è tra uomini e bestie?

Un invito a tavola

Domande:

1. Descrivi la famiglia Borgianni.
2. Quanti sono gli invitati? Chi sono?
3. Che cosa aveva fatto Luca Borgianni?
4. Che tipo è l'invitato? Come si chiama?
5. Perché Don Diego è spaventato?
6. Perché scoppia una lite tra i fratelli e le sorelle Borgianni?
7. Che cosa succede durante la lite?

Pensaci, Giacomino!!!

Domande:

1. Che aspetto ha il professor Toti?
2. Chi è Giacomino Delisi? Chi è Ninì?
3. Perché Maddalenina non vuole più uscire dalla sua camera?
4. Perché la signorina Agata non vuole aprire la porta al professor Toti?

5. Che problema ha Giacomino?
6. Qual è la reazione del professor Toti quando Giacomino gli dice la verità?
7. Che cosa pensa di fare alla fine?